春秋經傳集解文上第八 釋文文公名興僖公子毋聲姜諡法慈惠愛民曰文忠信接禮曰文

杜氏　盡十年

經元年春王正月公即位無傳先君未葬而公即位不可曠年無君○二月癸亥日有食之無傳癸亥月一日不書朔官失之○天王使叔服來會葬叔氏服字諸侯喪天子使大夫會葬禮也○夏四月丁巳葬我君僖公七月而葬緩○天王使毛伯來錫公命毛國伯爵諸侯爲王卿士者諸侯即位天子賜以命圭合瑞爲信僖十一年王賜晉侯命亦其比也〔錫〕星歷切〔比〕必利切例也又如字○晉侯伐衛晉襄公先告諸侯而伐衛雖大夫親伐而稱晉侯從告辭也○叔孫得臣如京師得臣叔牙之孫○衛人伐晉衛孔達爲政不共盟主興兵鄭國受討喪邑故貶稱人〔喪〕息浪切○秋公孫敖會晉侯于戚戚衛邑在頓丘衛縣西禮卿不會公侯而春秋魯大夫皆不貶者體例已舉故據用魯史成文而已內稱公卒稱薨皆用魯史○冬十月丁未楚世子商臣弑其君頵商臣穆王也弑君例在宣四年〔頵〕憂倫切又丘倫切○公孫敖如齊傳例曰始聘爲禮也

傳元年春王使內史叔服來會葬公孫敖聞其能相人也公孫敖魯大夫慶父之子〔相〕息亮切見其二子焉叔服曰穀也食子難也收子穀文伯難惠叔食子奉祭祀供養者也收子葬子身也〔見〕賢遍切下注孤見同〔食〕音嗣注同〔難〕乃多切又如字〔供〕俱用切〔養〕餘亮切穀也豐下必有後於魯國豐下蓋面方爲八年公孫敖奔莒傳○於是閏三月非禮也於歷法閏當在僖公末年誤於今年三月置閏蓋時達歷者所譏先王之正時也履端於始舉正於中歸餘於終步歷之始以爲術之端首朞之日三百六十有六日日月之行又有遲速而必分爲十二月舉中氣以正月有餘日則歸之於終積而爲閏故言歸餘於終〔朞〕居其切履端於始序則不愆四時無愆過〔愆〕起虔切舉正於中民則不惑斗建不失其次寒暑不失其常故無疑惑歸餘於終事則不悖四時得所則事無悖亂〔悖〕必內切○夏四月丁巳葬僖公傳皆不虛載經文而此經孤見知僖公末年傳宜在此下○王使毛伯衛來錫公命衛毛伯字釋文一本作毛伯衛來錫公命又作天王使叔孫得臣如周拜謝賜命○晉文公之季年諸侯朝晉衛成公不朝使孔達侵鄭伐緜訾及匡孔達衛大夫匡在潁川新汲縣東北〔訾〕子斯切〔汲〕居及切下同晉襄公既祥諸侯雖諒闇亦因祥祭爲位而哭〔諒〕音良又音亮使告于諸侯而伐衛及南陽今河內地先且居曰效尤禍也尤衛不朝故伐今不朝王是效衛致禍時王在溫故勸之〔且〕子餘切請君朝王臣從師晉侯朝王于溫先且居胥臣伐衛

五月辛酉朔晉師圍戚六月戊戌取之獲孫昭子昭子衛大夫食戚邑衛
人使告于陳陳共公曰更伐之我辭之見伐求和不競大甚故使報伐示己力足以距
晉共音恭更古孟切又音庚大音泰又如字衛孔達帥師伐晉君子以爲古古者越
國而謀合古之道而失今事霸王之禮故國失其邑身見執辱。秋晉侯疆戚田故公孫
敖會之晉取衛田正其疆界疆居良切注同。初楚子將以商臣爲大子訪諸令
尹子上子上曰君之齒未也齒年也言尚少少詩照切下文同而又多愛黜乃
亂也楚國之舉恒在少者舉立也且是人也蠭目而豺聲忍人也
能忍行不義蠭本又作蜂芳逢切豺仕皆切不可立也弗聽既又欲立王子職而黜
大子商臣職商臣庶弟商臣聞之而未察告其師潘崇曰若之何而
察之潘崇曰享江芊而勿敬也江芊成王妹嫁於江芊亡氏切史記以爲成王妾從之
江芊怒曰呼役夫呼發聲也役夫賤者稱呼好賀切注同役夫如字稱尺證切宜君王之欲
殺女而立職也告潘崇曰信矣潘崇曰能事諸乎問能事職不女音汝曰
不能能行乎曰不能能行大事乎曰能大事謂弑君弑音申志切一本無此注冬

十月以宮甲圍成王大子宮甲僖二十八年王以東宮卒從子玉蓋取此宮甲卒子忽切從如字又才用
切王請食熊蹯而死熊掌難熟冀久將有外救蹯音煩弗聽丁未王縊謚之曰
靈不瞑曰成乃瞑言其忍甚未斂而加惡謚瞑亡丁切又亡千切斂力驗切穆王立以其爲
大子之室與潘崇使爲大師且掌環列之尹環列之尹宮衛之官列兵而環王宮
大音泰環如字又音患。穆伯如齊始聘焉禮也穆伯公孫敖凡君即位卿出
並聘踐脩舊好要結外援踐猶履行也好呼報切下同要於遙切援于眷切好事鄰國
以衛社稷忠信卑讓之道也忠德之正也信德之固也卑讓德
之基也傳因此發凡以明諸侯諒闇則國事皆用吉禮。殽之役在僖三十三年晉人既歸秦帥
秦大夫及左右皆言於秦伯曰是敗也孟明之罪也必殺之秦
伯曰是孤之罪也周芮良夫之詩曰大風有隧貪人敗類詩大雅隧
蹊徑也周大夫芮伯刺厲王言貪人之敗善類若大風之行毀壞衆物所在成蹊徑隧所類切芮如銳切詩大雅桑柔篇隧音
遂敗必邁切注同蹊音兮徑古定切聽言則對誦言如醉言昏亂之君不好典誦之言聞之若醉得道聽
塗說之言則喜而荅對誦似用切昏本亦作惛音昏匪用其良覆俾我悖覆反也俾使也不用良臣之言

反使我爲悖亂〔賁〕芳服切〔畀〕本亦作畀必爾切注同是貪故也孤之謂矣孤實貪以禍夫
子夫子何罪復使爲政爲明年秦晉戰彭衙傳〔復〕扶又切
經二年春王二月甲子晉侯及秦師戰于彭衙秦師敗績孟明名氏
不見非命卿也大崩曰敗績馮翊郃陽縣西北有彭衙城〔衙〕音牙〔見〕賢遍切〔郃〕戶納切○丁丑作僖公主
主者殷人以栢周人以栗三年喪終則遷入於廟○三月乙巳及晉處父盟處父爲晉正卿不能
匡君以禮而親與公盟故貶其族族去則非卿故以微人常稱爲耦以直厭不直不地者盟晉都〔去〕起呂切〔稱〕尺證切〔厭〕於涉
切○夏六月公孫敖會宋公陳侯鄭伯晉士縠盟于垂隴垂隴鄭地
熒陽縣東有隴城士縠出盟諸侯受成於衛故貴而書名氏〔縠〕戶木切本亦作穀同〔隴〕力勇切○自十有二月
不雨至于秋七月無傳周七月今五月也不雨足爲災不書旱五穀猶有收〔收〕如字又手又切○八
月丁卯大事于大廟躋僖公大事禘也躋升也僖公閔公庶兄繼閔而立廟坐宜次閔下今升在
閔上故書而譏之時未應吉禘而於大廟行之其譏已明徒以逆祀故特大其事異其文〔大〕音泰注及傳大廟同〔躋〕子兮切〔坐〕
才卧切又如字○冬晉人宋人陳人鄭人伐秦四人皆卿秦穆悔過終用孟明故貶四國大夫
以尊秦伯○公子遂如齊納幣傳曰禮也僖公喪終此年十一月則納幣在十二月也士昏六禮其一納

采納徵始有玄纁束帛諸侯則謂之納幣其禮與士禮不同蓋公爲大子時已行昏禮也〔纁〕許云切
傳二年春秦孟明視帥師伐晉以報殽之役二月晉侯禦之先
且居將中軍趙衰佐之代郤溱〔禦〕魚呂切〔將〕子匠切〔衰〕初危切〔溱〕側巾切王官無地御
戎代梁弘狐鞫居爲右鞫居續簡伯〔鞫〕九六切甲子及秦師戰于彭衙秦師
敗績晉人謂秦拜賜之師以孟明言三年將拜君賜故嗤之〔嗤〕尺之切戰於殽也晉
梁弘御戎萊駒爲右戰之明日晉襄公縛秦囚使萊駒以戈斬
之囚呼萊駒失戈狼瞫取戈以斬囚禽之以從公乘遂以爲右
箕之役箕役在僖三十三年〔呼〕火故切〔瞫〕尺甚切字林式衽切〔乘〕繩證切先軫黜之而立續簡
伯狼瞫怒其友曰盍死之瞫曰吾未獲死所未得可死處〔盍〕戶臘切〔處〕昌慮切
其友曰吾與女爲難欲共殺先軫〔女〕音汝〔難〕乃旦切瞫曰周志有之勇則害上
不登於明堂周志周書也明堂祖廟也所以策功序德故不義之士不得升死而不義非勇也
共用之謂勇共用死國用〔共〕音恭注同吾以勇求右無勇而黜亦其所也言今
死而不義更成無勇宜見退謂上不我知黜而宜乃知我矣言今見黜而合宜則吾不得復

言上不我知〇遺扶又切子姑待之及彭衙既陳以其屬馳秦師死焉屬屬己兵
〇陳直覲切晉師從之大敗秦師君子謂狼瞫於是乎君子詩曰君子
如怒亂庶遄沮詩小雅言君子之怒必以止亂也〇遄市專切〇沮在汝切又曰王赫斯
怒爰整其旅詩大雅言文王赫然奮怒則整師旅以討亂〇赫火百切怒不作亂而以從師
可謂君子矣秦伯猶用孟明孟明增脩國政重施於民趙成子
言於諸大夫曰成子趙衰〇[illegible]式敢切秦師又至將必辟之懼而增德不可
當也詩曰毋念爾祖聿脩厥德詩大雅言念其祖考則宜述脩其德以顯之毋念念也〇毋音無
注同孟明念之矣念德不怠其可敵乎為明年秦人伐晉傳〇丁丑作
僖公主書不時也過葬十月故曰不時例在僖三十三年〇晉人以公不朝來討
公如晉夏四月己巳晉人使陽處父盟公以恥之使大夫盟公欲以恥辱魯
也經書三月乙巳經傳必有誤書曰及晉處父盟以厭之也厭猶損也晉以非禮盟公故文厭之
以示譏〇厭於涉切注同適晉不書諱之也不書公如晉公未至六月穆伯會
諸侯及晉司空士穀盟于垂隴晉討衛故也討元年衛人伐晉士穀士蔿子〇蔿于

卷八

委切書士穀堪其事也晉司空非卿也以士穀能堪卿事故書書士穀或作書曰晉士穀陳侯為
衛請成于晉執孔達以說陳始與衛謀謂可以強得免今晉不聽故更執孔達以苟免也〇為于偽切
〇秋八月丁卯大事于大廟躋僖公逆祀也僖是閔兄不得為父子嘗為臣位應
在下令居閔上故曰逆祀〇令力呈切閔〇上時掌切一本或無上字於是夏父弗忌為宗伯宗伯掌宗
廟昭穆之禮〇夏戶雅切〇昭上遙切後昭穆之例倣此尊僖公且明見曰吾見新鬼大故鬼
小新鬼僖公既為兄死時年又長故鬼閔公死時年少弗忌明言其所見〇長丁丈切〇少詩照切先大後小順
也躋聖賢明也又以僖公為聖賢明順禮也君子以為失禮禮無不順
祀國之大事也而逆之可謂禮乎子雖齊聖不先父食久矣齊肅
也臣繼君猶子繼父〇先悉薦切下不先皆同故禹不先鯀湯不先契鯀禹父契湯十三世祖〇鯀古本
切〇契息列切殷始封之君文武不先不窋不窋后稷子〇窋知律切宋祖帝乙鄭祖厲王
猶上祖也帝乙微子父厲王鄭桓公父二國不以帝乙厲王不肖而猶尊尚之〇肖悉召切是以魯頌曰
春秋匪解享祀不忒皇皇后帝皇祖后稷忒差也皇皇美也后帝天也詩頌僖公郊
祭上天配以后稷〇解佳買切〇忒他得切君子曰禮謂其后稷親而先帝也先稱帝也詩

曰問我諸姑遂及伯姊詩邶風也衛女思歸而不得故願致問於姑姊〔邶〕音佩君子曰禮
謂其姊親而先姑也僖親文公父夏父弗忌欲阿時君先其所親故傳以此二詩深責其意仲尼曰
臧文仲其不仁者三不知者三下展禽展禽柳下惠也文仲知柳下惠之賢而使在下
位己欲立而立人〔知〕音智下同廢六關塞關陽關之屬凡六關所以禁絕末遊而廢之〔塞〕悉再切妾織蒲三
不仁也家人販席言其與民爭利〔販〕甫萬切作虛器謂居蔡山節藻梲也有其器而無其位故曰虛〔梲〕章悅切
縱逆祀聽夏父躋僖公祀爰居三不知也海鳥曰爰居止於魯東門外文仲以為神命國人祀之爰
居爾雅一名雜縣樊光云似鳳皇爰居事見國語莊子云魯侯御而觴之於廟○冬晉先且居宋公子
成陳轅選鄭公子歸生伐秦取汪及彭衙而還以報彭衙之役
卿不書為穆公故尊秦也謂之崇德〔成〕音城本或作戌音恤〔選〕息兗切〔汪〕烏黃切〔為〕于偽
切○襄仲如齊納幣禮也凡君即位好舅甥脩昏姻娶元妃以
奉粢盛孝也謂諒闇既終嘉好之事通于外內外內之禮始備此除凶之即位也於是遣卿申好舅甥之國脩禮
以昏姻也元妃嫡夫人奉粢盛共祭祀〔好〕呼報切注同〔娶〕七住切〔妃〕芳非切〔粢〕音咨〔盛〕音成〔嫡〕丁歷切〔共〕音恭孝禮之
始也

經三年春王正月叔孫得臣會晉人宋人陳人衛人鄭人伐沈
沈潰傳例曰民逃其上曰潰沈國名也汝南平輿縣北有沈亭〔沈〕尸甚切〔潰〕戶內切〔輿〕音餘一音預○夏五月
王子虎卒不書爵者天王赴也翟泉之盟雖輒假王命周王因以同盟之例為赴〔為〕于偽切又如字本或作來赴
○秦人伐晉晉人恥不出以微者告○秋楚人圍江○雨螽于宋自上而墮有似
於雨宋人以其死為得天祐喜而來告故書〔雨〕于付切注及傳同〔螽〕音終〔墮〕徒火切傳注同〔祐〕音又○冬公如晉
十有二月己巳公及晉侯盟○晉陽處父帥師伐楚以救江
傳三年春莊叔會諸侯之師伐沈以其服於楚也沈潰凡民逃
其上曰潰在上曰逃潰眾散流移若積水之潰自壞之象也國君輕走群臣不知其謀與匹夫逃竄無異
是以在眾曰潰在上曰逃各以類言之〔輕〕如字又遣政切〔竄〕七亂切○衛侯如陳拜晉成也二年陳侯
為衛請成于晉〔為〕于偽切○夏四月乙亥王叔文公卒來赴弔如同盟禮也王子虎與僖公同盟於翟泉文公是同盟之子故赴以名傳因王子虎異於諸侯王叔又未與文公盟故於此顯示體例也經
書五月又不書日從赴也○秦伯伐晉濟河焚舟示必死也取王官及郊王官郊晉地
晉人不出遂自茅津濟封殽尸而還茅津在河東大陽縣西封埋藏之〔大〕音泰遂霸

西戎用孟明也君子是以知秦穆公之爲君也舉人之周也周備
也不偏以一惡弃其善與人之壹也壹無二心孟明之臣也其不解也能懼思也子
桑之忠也其知人也能舉善也子桑公孫枝舉孟明者解佳賣切詩曰于以采
蘩于沼于沚于以用之公侯之事秦穆有焉詩國風言沼沚之蘩至薄猶采以共
公侯以喻秦穆不遺小善蘩音煩沼之紹切沚音止共音恭夙夜匪解以事一人孟明有焉
詩大雅美仲山甫也一人天子也詒厥孫謀以燕翼子子桑有焉詒遺也燕安也翼成也詩
大雅美武王能遺其子孫善謀以安成子孫言子桑有舉善之謀詒以之切遺唯季切○秋雨螽于宋隊
而死也螽飛至宋隊地而死若雨隊直類切○楚師圍江晉先僕伐楚以救江晉救
江在雨螽下故使圍江之經隨在雨螽下冬晉以江故告于周欲假天子之威以伐楚王叔
桓公晉陽處父伐楚以救江桓公周卿士王叔文公之子桓公不書示威名不親伐門于
方城遇息公子朱而還子朱楚大夫伐江之師也聞晉師起而江兵解故晉亦還還所類切解音蟹又
佳賣切○晉人懼其無禮於公也請改盟改二年處父之盟公如晉及晉侯
盟晉侯饗公賦菁菁者莪菁菁者莪詩小雅取其既見君子樂且有儀菁子丁切莪五多切樂音洛

左八　　天　　中

下文何樂小國之樂同莊叔以公降拜謝其以公比君子也曰小國受命於大國敢
不慎儀君貺之以大禮何樂如之抑小國之樂大國之惠也晉
侯降辭降階辭讓公登成拜俱還上成拜禮上時掌切又如字公賦嘉樂嘉樂詩大雅義取其
顯顯令德宜民宜人受祿于天嘉戶嫁切樂如字注同
經四年春公至自晉無傳○夏逆婦姜于齊稱婦有姑之辭○狄侵齊無傳
○秋楚人滅江滅例在文十五年○晉侯伐秦○衛侯使甯俞來聘○冬
十有一月壬寅夫人風氏薨僖公母風姓也赴同祔姑故稱夫人俞羊朱切祔音附
傳四年春晉人歸孔達于衛以爲衛之良也故免之二年衛執孔達以說
晉夏衛侯如晉拜謝歸孔達曹伯如晉會正會受貢賦之政也傳言襄公能繼文之業
而諸侯服從○逆婦姜于齊卿不行非禮也禮諸侯有故則使卿逆君子是以
知出姜之不允於魯也允信也始來不見尊貴故終不爲國人所敬信也文公薨而見出故曰出姜
曰貴聘而賤逆之公子遂納幣是貴聘也君而卑之立而廢之君小君也不以夫人
禮迎是卑廢之弃信而壞其主在國必亂在家必亡主內主也壞音怪不允宜

哉詩曰畏天之威于時保之敬主之謂也詩頌言畏天威於是保福禄○秋晉侯伐秦圍邧新城以報王官之役邧新城秦邑也王官役在前年邧願晚切一音元○楚人滅江秦伯爲之降服出次不舉過數降服素服也出次辟正寢不舉去盛饌鄭國之禮有數今秦伯過之爲于僞切下注爲賦爲歌皆同去起呂切饌仕眷切大夫諫公曰同盟滅雖不能救敢不矜乎吾自懼也秦江同盟不告故不書矜居陵切君子曰詩云惟彼二國其政不獲惟此四國爰究爰度其秦穆之謂矣詩大雅言夏商之君政不得人心故四方諸侯皆懼而謀度其政事也言秦穆亦能感江之滅懼而思政爰於也究度皆謀也究音救度待洛切注同○衛甯武子來聘公與之宴爲賦湛露及彤弓非禮之常公特命樂人以示意故言爲賦湛露彤弓詩小雅湛直減切彤徒冬切不辭又不荅賦使行人私焉私問之對曰臣以爲肄業及之也肄習也魯人失所賦甯武子佯不知此其愚不可及肄字又作肄以二切及注同佯音陽一音祥昔諸侯朝正於王朝而受政教也王宴樂之於是乎賦湛露則天子當陽諸侯用命也湛露曰湛湛露斯匪陽不晞晞乾也言露見日而乾猶諸侯稟天子命而行樂音洛下注宴樂同晞音希諸侯敵王所愾而獻其功敵猶當也愾恨怒也愾苦愛切王於是乎賜之彤弓一彤矢百玈弓矢千以覺報宴覺明也謂諸侯有四夷之功王賜之弓矢又爲歌彤弓以明報功宴樂玈音盧覺音角今陪臣來繼舊好方論天子之樂故自稱陪臣好呼報切君辱貺之其敢干大禮以自取戾貺賜也干犯也戾罪也貺音況戾力計切○冬成風薨爲明年王使來含賵傳

經五年春王正月王使榮叔歸含且賵珠玉曰含含口實車馬曰賵含本亦作唅戶暗切說文作琀云送終口中玉賵芳鳳切○三月辛亥葬我小君成風無傳反哭成喪故曰葬我小君王使召伯來會葬召伯天子卿也召采地伯爵也來不及葬不譏者不失五月之內召上照切○夏公孫敖如晉無傳○秦人入鄀入例在十五年鄀音若○秋楚人滅六六國今廬江六縣廬力居切○冬十月甲申許男業卒無傳與僖公六同盟

傳五年春王使榮叔來含且賵召昭公來會葬禮也成風莊公之妾天子以夫人禮賵之明母以子貴故曰禮○初鄀叛楚即秦又貳於楚夏秦人入鄀○六人叛楚即東夷秋楚成大心仲歸帥師滅六仲歸子家冬楚子燮滅蓼蓼國今安豐蓼縣燮息列切蓼音了臧文仲聞六與蓼滅曰皐陶庭堅

不祀忽諸德之不建民之無援哀哉蓼與六皆皋陶後也傷二國之君不能建德結援大國忽然而亡〔陶〕音遙○晉陽處父聘于衛反過甯甯嬴從之甯晉邑汲郡脩武縣也嬴逆旅大夫〔嬴〕音盈及溫而還其妻問之嬴曰以剛商書曰沈漸剛克高明柔克沈漸猶滯溺也高明猶亢爽也言各當以剛柔勝己本性乃能成全也此在洪範今謂之周書〔漸〕似廉切注同滯溺一本作帶弱〔亢〕苦浪切夫子壹之其不沒乎陽子性純剛天爲剛德猶不干時寒暑相順況在人乎且華而不實怨之所聚也言過其行〔行〕下孟切犯而聚怨不可以定身剛則犯人余懼不獲其利而離其難是以去之爲六年晉殺處父傳〔難〕乃旦切○晉趙成子欒貞子霍伯臼季皆卒成子趙衰新上軍帥中軍佐也貞子欒枝下軍帥也霍伯先且居中軍帥也臼季胥臣下軍佐也爲六年蒐於夷傳〔帥〕所類切下同〔蒐〕所求切

經六年春葬許僖公無傳○夏季孫行父如陳行父季友孫○秋季孫行父如晉○八月乙亥晉侯驩卒再同盟〔驩〕喚官切○冬十月公子遂如晉葬晉襄公卿共葬事文襄之制也三月而葬速〔共〕音恭○晉殺其大夫陽處父處父侵官宜爲國討故不言賈季殺○晉狐射姑出奔狄射姑狐偃子賈季也奔例在宣十年〔射〕音亦一音夜

○閏月不告月猶朝于廟諸侯每月必告朔聽政因朝宗廟文公以閏非常月故闕不告朔怠慢政事雖朝于廟則如勿朝故曰猶猶者可止之辭不告月月或作朔誤也告朔本或作告月

傳六年春晉蒐于夷舍二軍僖三十一年晉蒐清原作五軍今舍二軍復三軍之制夷晉地前年四卿卒故蒐以謀軍帥〔舍〕音捨注同〔帥〕所類切下同使狐射姑將中軍代先且居〔將〕子匠切趙盾佐之代趙衰也盾趙衰子〔盾〕徒本切陽處父至自溫往年聘衛過溫始至〔過〕古禾切改蒐于董易中軍易以趙盾爲帥射姑佐之河東汾陰縣有董亭陽子成季之屬也處父嘗爲趙衰屬大夫故黨於趙氏且謂趙盾能曰使能國之利也是以上之宣子於是乎始爲國政宣子趙盾謚制事典典常也正法罪輕重當〔當〕丁浪切辟獄刑辟猶治理也〔辟〕婢亦切後同者更不音董逋逃董督也〔逋〕補吾切由質要由用也質要契券也治舊洿治理洿穢〔洿〕音烏本又作汙同本秩禮貴賤不失其本續常職脩廢官出滯淹拔賢能也既成以授大傅陽子與大師賈佗使行諸晉國以爲常法賈佗以公族從六公而不在五人之數〔大〕音泰下同〔佗〕徒河切〔從〕才用切○臧文仲以陳衛之睦也欲求好於陳夏季文子聘于陳且娶焉臣非君命不越竟故因聘而自爲娶〔好〕呼報切〔娶〕七住切〔竟〕音境〔爲〕

（于偽切）○秦伯任好卒（任好秦穆公名〔任〕音壬）以子車氏之三子奄息仲行
鍼虎爲殉（子車秦大夫氏也以人從葬爲殉〔車〕音居〔仲〕本亦作中音仲〔行〕戶郎切〔鍼〕其廉切〔殉〕似俊切殺人從死曰
殉字林弋絹切）皆秦之良也國人哀之爲之賦黃鳥（黃鳥詩秦風義取黃鳥止于棘桑往
來得其所傷三良不然〔爲〕于偽切下注爲立爲作善皆同）君子曰秦穆之不爲盟主也宜哉
死而弃民先王違世猶詒之法而況奪之善人乎詩曰人之云
亡邦國殄瘁（詩大雅言善人亡則國瘁病〔詒〕以之切〔瘁〕似醉切）無善人之謂若之何奪
之古之王者知命之不長是以竝建聖哲（建立聖知以司牧民〔王〕如字一音于況切
〔知〕音智）樹之風聲（因土地風俗爲立聲教之法）分之采物（旌旗衣服各有分制〔分〕扶問切注同）著
之話言（話善也爲作善言遺戒〔話〕戶快切）爲之律度（鍾律度量所以治歷明時〔量〕音亮）陳之藝
極（藝準也極中也貢獻多少之法傳曰貢之無藝又曰貢獻無極）引之表儀（引道也表儀猶威儀〔道〕音導下同）
予之法制告之訓典（訓典先王之書）教之防利（防惡典利）委之常秩（委任也常秩官
司之常職）道之以禮則使無失其土宜衆隸賴之而後即命（即就也）聖
王同之今縱無法以遺後嗣而又收其良以死難以在上矣君
子是以知秦之不復東征也（不能復征討東方諸侯爲霸主〔遺〕唯季切〔復〕扶又切注同）○秋
季文子將聘於晉使求遭喪之禮以行（季文子季孫行父也聞晉侯疾故）其人
曰將焉用之（其人從者〔焉〕於虔切〔從〕才用切）文子曰備豫不虞古之善教也求
而無之實難（難卒得〔卒〕寸忽切）過求何害（所謂文子三思〔三〕息暫切）八月乙亥晉
襄公卒靈公少晉人以難故欲立長君（立少君恐有難〔少〕詩照切注同〔難〕乃旦切注及
下皆同〔長〕丁丈切下皆同）趙孟曰立公子雍（趙孟趙盾也公子雍文公子襄公庶弟杜祁之子）好善
而長先君愛之且近於秦秦舊好也置善則固事長則順立愛
則孝結舊則安爲難故故欲立長君有此四德者難必抒矣（抒除
也〔好〕呼報切下皆同〔近〕附近之近〔抒〕直呂切又時呂切）賈季曰不如立公子樂（樂文公子〔樂〕音岳一
音洛）辰嬴嬖於二君（辰嬴懷嬴也二君懷公文公也〔嬖〕必計切）立其子民必安之趙孟
曰辰嬴賤班在九人（班位也）其子何震之有（震威也）且爲二嬖淫也
爲先君子不能求大而出在小國辟也母淫子辟無威陳小而
遠無援將何安焉杜祁以君故讓偪姞而上之（杜祁杜伯之後祁姓也偪姞姞

姓之女生襄公爲世子故杜祁讓使在己上〔辟〕匹亦切又作僻下同〔祁〕巨之切〔偪〕彼力切〔姞〕其吉切又其乙切以狄故
讓季隗而己次之故班在四以季隗是文公託狄時妻故復讓之然則杜祁本班在二〔隗〕五罪切
〔復〕扶又切下將復怨同先君是以愛其子而仕諸秦爲亞卿焉亞次也言其賢故位
尊〔亞〕於嫁切秦大而近足以爲援母義子愛足以威民立之不亦可
乎使先蔑士會如秦逆公子雍先蔑士伯也士會隨季也賈季亦使召公子
樂于陳趙孟使殺諸郫郫晉地〔郫〕音婢支切賈季怨陽子之易其班也
本中軍帥易以爲佐〔帥〕所類切下命帥同而知其無援於晉也少族多怨九月賈季使續
鞫居殺陽處父鞫居狐氏之族書曰晉殺其大夫侵官也君已命帥處父易之故曰
侵官○冬十月襄仲如晉葬襄公○十一月丙寅晉殺續簡伯簡伯
續鞫居十一月無丙寅丙寅十二月八日也日月必有誤賈季奔狄宣子使臾駢送其帑帑妻
子也宣子以賈季中軍之佐同官故〔臾〕羊朱切〔駢〕蒲賢切又蒲丁切〔帑〕音奴夷之蒐賈季戮臾駢臾
駢之人欲盡殺賈氏以報焉臾駢曰不可吾聞前志有之曰敵
惠敵怨不在後嗣忠之道也敵猶對也若及子孫則爲非對非對則爲遷怒〔盡〕津忍切夫子
禮於賈季我以其寵報私怨無乃不可乎言己蒙宣子寵位介人之寵
非勇也介因也〔介〕音界損怨益仇非知也殺季家欲以除怨宣子將復怨已是益仇〔知〕音智以
私害公非忠也釋此三者何以事夫子盡具其帑與其器用財
賄親帥扞之送致諸竟扞衛也〔扞〕戶旦切〔竟〕音境○閏月不告朔非禮也經稱
告月傳稱告朔明告月必以朔閏以正時四時漸差則致閏以正之時以作事順時命事事以厚
生事不失時則年豐生民之道於是乎在矣不告閏朔弃時政也何以
爲民〔爲〕如字治也或音于僞切非也

經七年春公伐邾○三月甲戌取須句須句魯之封內屬國也僖公反其君之後邾復
滅之書取易也例在襄十三年〔句〕其俱切〔復〕扶又切〔易〕以豉切遂城郚無傳因伐邾師以城郚郚魯邑卞縣南有郚城
備邾難〔郚〕音吾〔難〕乃旦切○夏四月宋公王臣卒二年與魯大夫盟於垂隴〔王〕如字又往方切○
宋人殺其大夫宋人攻昭公并殺二大夫故以非罪書○戊子晉人及秦人戰于
令狐趙盾廢嫡而外求君故貶稱人晉諱背先蔑而夜薄秦師以戰告〔令〕力呈切〔嫡〕本又作適丁歷切〔背〕音佩○晉
先蔑奔秦不言出在外奔○狄侵我西鄙○秋八月公會諸侯晉大夫

盟于扈扈鄭地滎陽卷縣西北有扈亭不分別書會人摠言諸侯晉大夫盟者公後會而及其盟〔扈〕音戶〔卷〕音權又丘權切〔別〕彼列切○冬徐伐莒不書將帥徐夷告辭略〔將〕子匠切○公孫敖如莒涖盟〔涖〕音利音類

傳七年春公伐邾間晉難也公因霸國有難而侵小〔間〕間廁之間或如字〔難〕乃旦切注同三月甲戌取須句寘文公子焉非禮也邾文公子叛在魯故公使爲守須句大夫也絶大皡之祀以與鄰國叛臣故曰非禮〔寘〕之豉切下同〔大〕音泰〔皡〕戶老切○夏四月宋成公卒於是公子成爲右師莊公子公孫友爲左師目夷子樂豫爲司馬戴公玄孫鱗矔爲司徒桓公孫〔矔〕古亂切公子蕩爲司城桓公子也以武公名廢司空爲司城華御事爲司寇華元父也傳言六卿皆公族昭公不親信之所以致亂〔御〕魚呂切本又作禦音同昭公將去羣公子樂豫曰不可公族公室之枝葉也若去之則本根無所庇廕矣葛藟猶能庇其本根葛之能藟蔓繁滋者以本枝廕庥之多〔去〕起呂切下及注同〔庇〕必利切又悲位切下同〔廕〕本又作蔭於鴆切〔藟〕本或作蘽力軌切〔蔓〕音萬〔庥〕許求切本又作庥〔蘽〕類龜切故君子以爲比謂詩人取以喻九族兄弟〔比〕必爾切況國君乎此諺所謂庇焉而縱尋斧焉者也縱放也必不可君其圖之親之以德皆股肱也誰敢攜貳若之何去

之不聽穆襄之族率國人以攻公穆公襄公之子孫昭公所欲去者殺公孫固公孫鄭于公宮二子在公官故爲亂兵所殺六卿和公室樂豫舍司馬以讓公子卬卬昭公弟〔舍〕音捨下同〔卬〕五郎切昭公即位而葬書曰宋人殺其大夫不稱名衆也且言非其罪也不稱殺者及死者名殺者衆故名不可知死者無罪則例不稱名

○秦康公送公子雍于晉曰文公之入也無衛故有呂郤之難僖二十四年文公入〔難〕乃旦切乃多與之徒衛穆嬴日抱大子以啼于朝曰先君何罪其嗣亦何罪舍適嗣不立而外求君將焉寘此穆嬴襄公夫人靈公母也〔嬴〕音盈〔適〕本又作嫡同丁歷切〔焉〕於虔切下焉用同出朝則抱以適趙氏頓首於宣子曰先君奉此子也而屬諸子曰此子也才吾受子之賜不才吾唯子之怨欲使宣子教訓之〔屬〕音燭今君雖終言猶在耳在宣子之耳而弃之若何宣子與諸大夫皆患穆嬴且畏偪畏國人以大義來偪己〔偪〕彼力切乃背先蔑而立靈公以禦秦師箕鄭居守趙盾將中軍先克佐之克先且居子代狐射姑〔蔑〕音佩〔箕〕音基〔守〕手又切下注同〔將〕子匠切注下同荀林父佐上軍箕鄭將上軍居守故

佐獨行先蔑將下軍先都佐之步招御戎戎津爲右及菫陰先蔑士會
逆公子雍前還晉晉人始以逆雍出軍卒然變計立靈公故車右戎御猶在職菫陰晉地(招)上遙切(菫)音謹一音斳(卒)寸忽切
宣子曰我若受秦秦則賓也不受寇也既不受矣而復緩師秦將
生心先人有奪人之心奪敵之戰心也(復)扶又切(先)悉薦切有奪人之心本或此句下有後人待其反
誤軍之善謀也逐寇如追逃軍之善政也訓卒利兵秣馬蓐食
潛師夜起蓐食早食於寢蓐也(卒)子忽切(秣)音末(蓐)音辱戊子敗秦師于令狐至于刳
首己丑先蔑奔秦士會從之從刳首去也令狐在河東當與刳首相接(刳)苦胡切先蔑之
使也荀林父止之曰夫人大子猶在而外求君此必不行子以
疾辭若何不然將及禍將及己(使)所吏切攝卿以往可也何必子同官爲
寮吾嘗同寮敢不盡心乎弗聽爲賦板之三章板詩大雅其三章義取芻蕘之
言猶不可忽況同寮乎僖二十八年林父將中行先蔑將左行(寮)本又作僚力彫切(爲)于僞切下爲同寮同(芻)初俱切(蕘)音饒
(行)戶郎切下同又弗聽及亡荀伯盡送其帑及其器用財賄於秦曰爲
同寮故也荀伯林父士會在秦三年不見士伯士伯先蔑其人曰能亡人

左八　十二　耕

於國言能與人俱亡於晉國不能見於此焉用之何用如此士季曰吾與之同
罪俱有迎公子雍之罪非義之也將何見焉言己非慕先蔑之義而從之及歸遂不見
責先蔑爲正卿而不匡諫且俱出奔惡有黨也士會歸在十三年(惡)烏路切○狄侵我西鄙公使告
于晉趙宣子使因賈季問酆舒且讓之酆舒狄相讓其伐魯(酆)芳忠切(相)息亮切酆
舒問於賈季曰趙衰趙盾孰賢對曰趙衰冬日之日也趙盾夏
日之日也冬日可愛夏日可畏○秋八月齊侯宋公衛侯鄭伯許男曹伯
會晉趙盾盟于扈晉侯立故也公後至故不書所會凡會諸侯
不書所會後也不書所會謂不具列公侯及卿大夫後至不書其國辟不敏也此傳
還自釋凡例之意○穆伯娶于莒曰戴己生文伯其娣聲己生惠叔穆伯
公孫敖也文伯穀也惠叔難也(己)音紀一音祀(娣)大計切(難)乃多切戴己卒又聘于莒莒人以聲
己辭則爲襄仲聘焉襄仲公孫敖從父昆弟(爲)音于僞切下且爲自爲同冬徐伐莒莒
人來請盟見伐故欲結援穆伯如莒涖盟且爲仲逆及鄢陵登城見之
美鄢陵莒邑(鄢)於晚切自爲娶之仲請攻之公將許之叔仲惠伯諫惠伯叔牙

孫曰臣聞之兵作於内爲亂於外爲寇寇猶及人亂自及也今
臣作亂而君不禁以啓寇讎若之何公止之惠伯成之平二子使
仲舍之舍不娶娶音捨注同公孫敖反之還莒女復爲兄弟如初從之爲明年公
孫敖奔莒傳復音服又扶又切○晉郤缺言於趙宣子曰日衛不睦故取其地
日往日取衛地在元年今已睦矣可以歸之叛而不討何以示威服而不
柔何以示懷柔安也非威非懷何以示德無德何以主盟子爲正
卿以主諸侯而不務德將若之何夏書曰逸書戒之用休有休則戒之以
勿休董之用威董督也有罪則督之以威刑勸之以九歌勿使壞九功之德皆
可歌也謂之九歌六府三事謂之九功水火金木土穀謂之六
府正德利用厚生謂之三事義而行之謂之德禮德正德也禮以制財用之
節又以厚生民之命無禮不樂所由叛也若吾子之德莫可歌也其誰來
之來猶歸也樂音洛盍使睦者歌吾子乎宣子說之爲明年晉歸鄭衛田張本盍戶臘切

經八年春王正月○夏四月○秋八月戊申天王崩○冬十月
壬午公子遂會晉趙盾盟于衡雍壬午月五日雍於用切○乙酉公子遂
會雒戎盟于暴乙酉月八日也暴鄭地公子遂不受命而盟宜去族善其解國患故稱公子以貴之會雒戎本
或作伊雒之戎此後人妄取傳文加耳雒音洛去起呂切○公孫敖如京師不至而復丙戌
奔莒不言出受命而出自外行○螽無傳爲災故書○宋人殺其大夫司馬宋司城
來奔司馬死不舍節司城奉身而退故皆書官而不名貴之舍音捨
傳八年春晉侯使解揚歸匡戚之田于衛匡本衛邑中屬鄭孔達伐不能克今晉令
鄭還衛及取戚田皆見元年解音蟹中丁仲切令力呈切見賢遍切且復致公壻池之封自申至
于虎牢之境公壻池晉君女壻又取衛地以封之今并還衛也申鄭地傳言趙盾所以能相幼主而盟諸侯復扶
又切壻音細俗作聟竟音境下注同相息亮切○夏秦人伐晉取武城以報令狐之役
令狐役在七年○秋襄王崩爲公孫敖如周弔傳○晉人以扈之盟來討前年盟扈公後
至冬襄仲會晉趙孟盟于衡雍報扈之盟也遂會伊雒之戎
伊雒之戎將伐魯公子遂不及復君故專命與之盟書曰公子遂珍之也珍貴也大夫出竟有可以安社
稷利國家者專之可○穆伯如周弔喪不至以幣奔莒從己氏焉己氏莒女○

宋襄夫人襄王之姊也昭公不禮焉（昭公適祖母（適）丁歷切）夫人因戴氏之族（華樂皇皆戴族）以殺襄公之孫孔叔公孫鍾離及大司馬公子卬皆昭公之黨也司馬握節以死故書以官（節國之符信也握之以死示不廢命）司城蕩意諸來奔效節於府人而出（效猶致也意諸公子蕩之孫（效）戶教切）公以其官逆之皆復之亦書以官皆貴之也（卿違從大夫公賢其效節故以本官逆之請宋而復之司城官屬悉來奔故言皆復）夷之蒐晉侯將登箕鄭父先都（登之於上軍也夷蒐在六年）而使士縠梁益耳將中軍（士縠本司空（縠）戶木切（將）子匠切）先克曰狐趙之勳不可廢也從之（狐偃趙衰有從亡之勳（從）才用切）先克奪蒯得田于堇陰（七年晉禦秦師於堇陰以軍事奪其田也先克中軍佐（蒯）苦怪切）故箕鄭父先都士縠梁益耳蒯得作亂（爲明年殺先克張本（爲）于僞切）

經九年春毛伯來求金（求金以共葬事雖踰年而未葬故不稱王使（共）音恭本亦作供下同）○夫人姜氏如齊（無傳歸寧）○二月叔孫得臣如京師辛丑葬襄王（卿共葬事禮也）○晉人殺其大夫先都（下軍佐也以作亂討故書名）○三月夫人姜氏至自齊（無傳告于廟）○晉人殺其大夫士縠及箕鄭父（與先都同罪也）○楚人伐鄭（楚子師於狼淵不親伐）○公子遂會晉人宋人衛人許人救鄭○夏狄侵齊（無傳）○秋八月曹伯襄卒（無傳十年同盟于扈）○九月癸酉地震（無傳地道安靜以動爲異故書）○冬楚子使椒來聘（稱君以使大夫其禮辭與中國同椒不書氏史略文）○秦人來歸僖公成風之襚（衣服曰襚秦辟陋故不稱使不稱夫人從來者辭（襚）音遂說文作裞云贈終者衣被曰裞以此襚爲衣死人衣（辟）匹亦切）○葬曹共公（無傳（共）音恭）

傳九年春王正月己酉使賊殺先克（箕鄭等所使也亂殺先克不赴故不書）乙丑晉人殺先都梁益耳（乙丑正月十九日經書二月從告）○毛伯衛來求金非禮也（天子不私求財故曰非禮）不書王命未葬也○二月莊叔如周葬襄王○三月甲戌晉人殺箕鄭父士縠蒯得（梁益耳蒯得不書皆非卿）○范山言於楚子曰晉君少不在諸侯北方可圖也（范山楚大夫（少）詩照切下注同）楚子師于狼淵以伐鄭（陳師狼淵爲伐鄭援也潁川潁陰縣西有狼陂（陂）彼皮切）囚公子堅公子尨及樂耳（三子鄭大夫（尨）莫江切）鄭及楚平公子遂會晉趙盾宋華耦衛

孔達許大夫救鄭不及楚師卿不書緩也以懲不恪華耦華父督曾孫公子遂獨不在賊者諸魯事自非指為其國褒貶則皆從國史不同之於他國此春秋大意他皆倣此【懲】直升切【恪】苦各切【為】于僞切○夏楚侵陳克壺丘壺丘陳邑以其服於晉也秋楚公子朱自東夷伐陳子朱息公也陳人敗之獲公子茷陳懼乃及楚平以小勝大故懼而請平也傳言晉君少楚陵中國明年所以有厥貉之會【茷】扶廢切【貉】武百切○冬楚子越椒來聘執幣傲子越椒令尹子文從子傲不敬【傲】五報切注下同【從】才用切叔仲惠伯曰是必滅若敖氏之宗傲其先君神弗福也十二年傳曰先君之敝器使下臣致諸執事明奉使皆告廟故言傲其先君也為宣四年楚滅若敖氏張本【敖】五刀切【使】所吏切○秦人來歸僖公成風之襚禮也秦慕諸夏欲通敬於魯因有翟泉之盟故追贈僖公并及成風本非魯方嶽同盟無相赴弔之制故不譏其緩而以接好為禮【夏】戶雅切【嶽】音岳【好】呼報切下文注同諸侯相弔賀也雖不當事苟有禮焉書也以無忘舊好送死不及尸故曰不當事書者書於典策垂示子孫使無忘過厚之好

經十年春王正月辛卯臧孫辰卒無傳公與小斂故書日【與】音預【斂】力驗切○夏秦伐晉不稱將帥告辭略【將】子匠切【帥】所類切○楚殺其大夫宜申宜申子西也謀弒君故書名

○自正月不雨至于秋七月無傳義與二年同○及蘇子盟于女栗女栗地名闕蘇子周卿士頃王新立故與魯盟親諸侯也【女】音汝一音如字【頃】音傾○冬狄侵宋無傳○楚子蔡侯次于厥貉厥貉地名闕將伐宋而未行故書次

傳十年春晉人伐秦取少梁少梁馮翊夏陽縣【少】照切下注同【夏】戶雅切夏秦伯伐晉取北徵報少梁【徵】如字三蒼云縣屬馮翊音懲一音張里切○初楚范巫矞似矞似范邑之巫【矞】尹必切謂成王與子玉子西曰三君皆將強死城濮之役王思之故使止子玉曰毋死不及止子西子西縊而縣絕在僖二十八年【強】其丈切【濮】音卜【毋】音無【縊】一豉切【縣】音玄王使適至遂止之使為商公商楚邑今上雒商縣【使】所吏切沿漢泝江將入郢沿順流泝逆流【沿】悅專切【泝】息路切【郢】以井切又以政切王在渚宮小洲曰渚【渚】章呂切水中可居者曰洲【洲】音州下見之懼而辭曰臣免於死又有讒言謂臣將逃臣歸死於司敗也陳楚名司寇為司敗子西畏讒言不敢之商縣王使為工尹掌百工之官又與子家謀弒穆王穆王聞之五月殺鬬宜申及仲歸仲歸子家不書非卿○秋七月及蘇子盟于女栗頃王立故也僖十年狄滅溫蘇子奔衛

今復見盖王復之復扶又切見賢遍切○陳侯鄭伯會楚子于息冬、遂及蔡侯

次于厥貉陳鄭及宋麇子不書者宋鄭執卑苟免爲楚僕任受役於司馬麇子恥之遂逃而歸三君失位降爵故不列於諸侯宋鄭猶然則陳侯必同也麇九倫切將以伐宋宋華御事曰楚欲弱我也先

爲之弱乎何必使誘我我實不能民何罪乃逆楚子勞且聽命時楚欲誘呼宋共戰御事華元父爲力報切遂道以田孟諸孟諸宋大藪也在梁國睢陽縣東北道音導藪素口切睢音綏宋公爲右盂鄭伯爲左盂盂田獵陳名盂音于陳直覲切期思公復遂

爲右司馬復遂楚期思邑名今弋陽期思縣弋以職切子朱及文之無畏爲左司馬將獵張兩甄故置二左司馬然則右司馬一人當中央甄吉然切命夙駕載燧燧取火者命眉病切燧本又作燧音遂宋公違命不夙駕載燧無畏抶其僕以徇或謂子舟曰國君不可

戮也子舟曰當官而行何彊之有子舟無畏字抶恥乙切徇似俊切舟音州詩曰剛亦不吐柔亦不茹詩大雅美仲山甫不辟彊禦茹如呂切毋縱詭隨以謹罔極詩大雅詭人隨人無正心者謹猶愼也罔無也極中也詭九委切是亦非辟彊也敢愛死以亂官

乎爲宣十四年宋人殺子舟張本○厥貉之會麇子逃歸爲明年楚子伐麇傳

春秋左氏傳卷第八

春秋經傳集解文下第九

杜氏　盡十八年

經十有一年春楚子伐麇（討前年逃厥貉會[麇]音九倫切）○夏叔彭生會晉郤缺于承筐（承筐宋地在陳留襄邑縣西彭生叔仲惠伯郤缺冀缺叔彭生叔又作紂本或作叔仲彭生仲衍字[缺]丘悅切）○秋曹伯來朝○公子遂如宋○狄侵齊○冬十月甲午叔孫得臣敗狄于鹹（鹹魯地[鹹]音咸）

傳十一年春楚子伐麇成大心敗麇師于防渚（成大心子玉之子大孫伯也防渚麇地）潘崇復伐麇至于錫穴（錫穴麇地[復]扶又切[錫]音羊或作錫星歷切）○夏叔仲惠伯會晉郤缺于承筐謀諸侯之從於楚者（九年陳鄭及楚平十年宋聽楚命）○秋曹文公來朝即位而來見也（[見]賢遍切）○襄仲聘于宋且言司城蕩意諸而復之（八年意諸來奔歸不書史失之）因賀楚師之不害也（往年楚次厥貉將以伐宋也）○鄋瞞侵齊（鄋瞞狄國名防風之後漆姓[鄋]所求切說文作鄋云北方長狄國也在夏爲防風氏殷爲汪芒氏字林鄋一音先牢切[瞞]莫干切[漆]音七）遂伐我公卜使叔孫得臣追之吉侯叔夏御莊叔（莊叔得臣[夏]戶雅切）緜房甥爲右富父終甥駟乘（駟乘四人共車[乘]繩證切注及下同）冬十月甲午敗狄于鹹獲長狄僑如（僑如鄋瞞國之君蓋長三丈獲僑如不書賤夷狄也[僑]又作喬其驕切[長]如字又直亮切）富父終甥摏其喉以戈殺之（摏猶衝也[摏]舒容切[喉]音侯[戈]古禾切）埋其首於子駒之門（子駒魯郭門骨節非常恐後世怪之故詳其處[處]昌呂切）以命宣伯（得臣待事而名其三子因名宣伯曰僑如以旌其功[旌]如字或云政切）初宋武公之世鄋瞞伐宋（在春秋前）司徒皇父帥師禦之耏班御皇父充石（皇父戴公子充石皇父名[禦]本亦作御魚呂切[耏]音而）公子穀甥爲右司寇牛父駟乘以敗狄于長丘（長丘宋地）獲長狄緣斯（緣斯僑如之先）皇父之二子死焉（皇父與穀甥及牛父皆死故耏班獨受賞）宋公於是以門賞耏班使食其征（門關門征稅也[稅]舒銳切）謂之耏門晉之滅路也（在宣十五年[潞]音路）獲僑如之弟焚如齊襄公之二年（魯桓之十六年）鄋瞞伐齊王子成父獲其弟榮如（榮如焚如之弟焚如後死而先說者欲其兄弟伯季相次榮如以魯桓十六年死至宣十五年一百三歲其兄猶在傳言既長且壽有異於人王子成父齊大夫[壽]如字音授）埋其首於周首之北門（周首齊邑濟北穀城縣東北有周首亭）衛人獲其

季弟簡如伐齊退走至衛見獲鄋瞞由是遂亡長狄之種絶種章勇切○郕大子朱
儒自安於夫鍾安處也夫鍾郕邑郕音成儒如朱切夫音扶國人弗徇徇順也爲明年郕伯來奔
傳徇似俊切
經十有二年春王正月郕伯來奔稱爵見公以諸侯禮迎之見賢遍切○杞伯來
朝復稱伯舍夷禮復扶又切一音服舍音捨○二月庚子子叔姬卒既嫁成人雖見出弃猶以恩錄
其卒○夏楚人圍巢巢吳楚間小國廬江六縣東有居巢城○秋滕子來朝○秦伯使
術來聘術不稱氏史略文○冬十有二月戊午晉人秦人戰于河曲不書
敗績交綏而退不大崩也稱人秦晉無功以微者告也皆陳曰戰例在莊十二年河曲在河東蒲坂縣南陳直覲切坂音反
○季孫行父帥師城諸及鄆鄆莒魯所爭者城陽姑幕縣南有貟亭貟即鄆也以其逺偪外國故
帥師城之鄆音運幕音莫音云一音運本又作郎音
傳十二年春郕伯卒郕人立君大子自安於外邑故大子以夫鍾與郕邽
來奔郕邽亦邑邽音圭公以諸侯逆之非禮也非公寵叛人故書曰郕伯來
奔不書地尊諸侯也既尊以爲諸侯故不復見其竊邑之罪復扶又切見賢遍切○杞桓公
來朝始朝公也公即位始來朝且請絶叔姬而無絶昏公許之不絶昏立其娣
以爲夫人不書大歸未笄而卒二月叔姬卒不言杞絶也既許其絶故不言杞書叔姬言
非女也女未嫁而卒不書○楚令尹大孫伯卒成嘉爲令尹若敖曾孫
子孔羣舒叛楚羣舒偃姓舒庸舒鳩之屬今廬江南有舒城舒城西南有龍舒夏子孔執舒子
平及宗子遂圍巢平舒君名宗巢二國羣舒之屬○秋滕昭公來朝亦始朝公
也○秦伯使西乞術來聘且言將伐晉襄仲辭玉曰君不忘先
君之好照臨魯國鎮撫其社稷重之以大器寡君敢辭玉大器圭璋
也不欲與秦爲好故辭玉好呼報切注及下皆同重直用切璋音章對曰不腆敝器不足辭也腆厚
也腆他典切主人三辭賓荅曰寡君願徼徼要
也魯公伯禽也言願事君以并蒙先君之福徼古堯切要於堯切下同不腆先君之敝器使下臣
致諸執事以爲瑞節節信也出聘必告廟故稱先君之器瑞垂僞切要結好命所以藉
寡君之命結二國之好藉薦也藉在夜切注同是以敢致之襄仲曰不有
君子其能國乎國無陋矣厚賄之賄贈送也賄呼罪切○秦爲令狐之役

故冬秦伯伐晉取羈馬〔令狐役在七年羈馬晉邑（爲）于僞切（令）力丁切〕晉人禦之趙
盾將中軍荀林父佐之〔林父代先克（將）子匠切〕郤缺將上軍〔代箕鄭〕臾駢佐
之〔代林父（駢）步邊切〕欒盾將下軍〔欒枝子代先蔑（欒）力官切（盾）徒本切〕胥甲佐之〔胥臣子代先都〕
范無恤御戎〔代步昭（昭）上遙切〕以從秦師于河曲臾駢曰秦不能久請
深壘固軍以待之從之秦人欲戰秦伯謂士會曰若何而戰〔晉士
會七年奔秦（壘）力軌切〕對曰趙氏新出其屬曰臾駢必實爲此謀將以老
我師也〔臾駢趙盾屬大夫新出佐上軍〕趙有側室曰穿晉君之壻也〔側室支子穿趙夙庶
孫（穿）音川〕有寵而弱不在軍事〔弱年少也又未嘗涉知軍事（少）詩照切〕好勇而狂且惡
臾駢之佐上軍也若使輕者肆焉其可〔肆暫往而退也（惡）烏路切（輕）遣政切（肆）音四〕
秦伯以壁祈戰于河〔禱求勝（禱）丁老切一音丁報切〕十二月戊午秦軍掩晉上
軍趙穿追之不及〔上軍不動趙穿獨追之〕反怒曰裹糧坐甲固敵是求敵
至不擊將何俟焉軍吏曰將有待也〔待可擊（裹）音果〕穿曰我不知謀將
獨出乃以其屬出宣子曰秦獲穿也獲一卿矣〔僖三十三年晉侯以一命命郤

缺爲卿不在軍帥之數然則晉自有散位從卿者（帥）所類切（散）悉但切〕秦以勝歸我何以報乃皆
出戰交綏〔司馬法曰逐奔不遠從綏不及逐奔不遠則難誘從綏不及則難陷然則古名退軍爲綏秦晉志未能堅
戰短兵未至爭而兩退故曰交綏（爭）爭鬭之爭〕秦行人夜戒晉師曰兩君之士皆未憖
也明日請相見也〔憖缺也（憖）魚覲切又魚轄切方言云傷也字林云間也牛吝切〕臾駢曰使者
目動而言肆懼我也〔目動心不安言肆聲放失常節（使）所吏切〕將遁矣薄諸河必敗
之〔薄迫也（遁）徒困切（薄）蒲莫切下同（敗）卑賣切〕胥甲趙穿當軍門呼曰死傷未收而
弃之不惠也不待期而薄人於險無勇也乃止〔晉師止爲宣元年放胥甲傳〕
秦師夜遁復侵晉入瑕〔（復）扶又切〕○城諸及鄆書時也
經十有三年春王正月○夏五月壬午陳侯朔卒〔無傳再同盟〕○邾
子蘧蒢卒〔未同盟而赴以名（蘧）其居切（蒢）丈居切〕○自正月不雨至于秋七月〔無傳〕
〔義與二年同〕○大室屋壞〔大廟之室（大）音泰注及傳同〕○冬公如晉○衛侯會公
于沓〔沓地闕（沓）徒荅切〕○狄侵衛〔無傳〕○十有二月己丑公及晉侯盟〔十二
月無己丑己丑十一月十一日〕○公還自晉鄭伯會公于棐〔棐鄭地（棐）芳味也又非尾切〕

傳十三年春晉侯使詹嘉處瑕以守桃林之塞（詹嘉晉大夫賜其瑕邑令帥衆守桃林以備秦桃林在弘農華陰縣東潼關（詹）章廉切（塞）悉代切（令）力呈切（華）戶化切（潼）音童）晉人患秦之用士會也夏六卿相見於諸浮（諸浮晉地）趙宣子曰隨會在秦賈季在狄難日至矣若之何（六年賈季奔狄（難）乃旦切（日）人實切）中行桓子曰請復賈季（中行桓子荀林父也僖二十八年始將中行故以為氏（行）戶郎切注同（將）子匠切）能外事且由舊勳（有狐偃之舊勳）郤成子曰賈季亂且罪大（殺陽處父故）不如隨會能賤而有恥柔而不犯（不可犯以不義）其知足使也且無罪乃使魏壽餘偽以魏叛者以誘士會執其帑於晉使夜逸（魏壽餘畢萬之後帑壽餘子（知）音智（帑）音奴）請自歸于秦秦伯許之（許受其邑）履士會之足於朝（躡士會足欲使行（躡）女涉切）秦伯師于河西（將取魏）魏人在東（今河北縣於秦為在河之東）壽餘曰請東人之能與夫二三有司言者吾與之先（欲與晉人在秦者共先告諭魏有司（夫）音扶）使士會士會辭曰晉人虎狼也若背其言臣死妻子為戮無益於君不可悔也（辭行示己無去心（背）音佩下同）秦伯曰若背其言所不歸爾帑者有如河（言必歸其妻子明白如河）乃行繞朝贈之以策（策馬檛臨別授之馬檛並示己所策以展情繞朝秦大夫（繞）如字又張遙切（策）本又作筴初革切（檛）張瓜切馬杖也王鄒華切字林作菙云箠也竹瓜切）曰子無謂秦無人吾謀適不用也（示己覺其情）既濟魏人譟而還（喜得士會（譟）素報切（還）音旋）秦人歸其帑其處者為劉氏（士會堯後劉累之胤別族復累之姓（累）劣彼切）○邾文公卜遷于繹（繹邾邑魯國鄒縣北有繹山（繹）音亦（鄒）側留切）史曰利於民而不利於君邾子曰苟利於民孤之利也天生民而樹之君以利之也民既利矣孤必與焉左右曰命可長也君何弗為邾子曰命在養民死之短長時也民苟利矣遷也吉莫如之（左右以一人之命為言文公以百姓之命為主一人之命各有短長不可如何百姓之命乃傳世無窮故徙之（與）音預（傳）直專切）遂遷于繹五月邾文公卒君子曰知命○秋七月大室之屋壞書不共也（簡慢宗廟使至傾頹故書以見臣子不共（頹）大回切（見）賢遍切）○冬公如晉朝且尋盟衛侯會公于沓請平于晉公還鄭伯會公于棐亦請平于晉公皆成之（鄭衛貳于楚畏晉故因公請平）鄭伯與公宴于棐子家賦鴻鴈（子家鄭大夫公子歸生也鴻鴈詩小雅義取侯伯哀

恤鮮寡有征行之勞言鄭國寡弱欲使魯侯還晉恤之鮮古顛切季文子曰寡君未免於此言亦同有微弱之憂文子賦四月四月詩小雅義取行役踰時思歸祭祀不欲為還晉為于僞切下皆同子家賦載馳之四章載馳詩鄘風四章以下義取小國有急欲引大國以救助鄘音容文子賦采薇之四章采薇詩小雅取其豈敢定居一月三捷許為鄭還不敢安居三息暫切又如字捷在接切鄭伯拜謝公為行公荅拜

經十有四年春王正月公至自晉無傳告於廟○邾人伐我南鄙○叔彭生帥師伐邾○夏五月乙亥齊侯潘卒七年盟于扈乙亥四月二十九日書五月從赴潘判干切○六月公會宋公陳侯衛侯鄭伯許男曹伯晉趙盾癸酉同盟于新城新城宋地在梁國穀熟縣西○秋七月有星孛入于北斗孛彗也既見而移入北斗非常所有故書之孛音佩徐無潰切嵇康音渤海字彗似歲切一音唯遂切見賢遍切○公至自會無傳○晉人納捷菑于邾弗克納邾有成君晉趙盾不度於義而大興諸侯之師涉邾之竟見辭而退雖有服義之善所與者廣所害者衆故貶稱人菑側其切度特洛切竟音境公孫敖卒于齊既許復之故從大夫例書卒○齊公子商人弒其君舍舍未踰年而稱君者先君既葬舍已即位弒君例在宣四年○宋子哀來奔大夫奔例書名氏貴之故書字○冬單伯如齊單伯周卿士為魯如齊故書單音善為于僞切○齊人執單伯諸侯無執王使之義故不衣行人例使所吏切○齊人執子叔姬叔姬魯女齊侯舍之母不稱夫人自魯錄之父母辭

傳十四年春頃王崩周公閱與王孫蘇爭政故不赴凡崩薨不赴則不書禍福不告亦不書奔亡禍也歸復福也頃音傾閱音悅懲不敬也欲使怠慢音自戒懲直升切○邾文公之卒也在前年公使弔焉不敬邾人來討伐我南鄙故惠伯伐邾○子叔姬妃齊昭公生舍叔姬無寵舍無威公子商人驟施於國驟數也商人桓公子妃音配本亦作配驟仕救切施式氏切數音朔而多聚士盡其家貸於公有司以繼之家財盡從公及國之有司富者貸盡津忍切貸音特又音忒注同夏五月昭公卒舍即位○邾文公元妃齊姜生定公二妃晉姬生捷菑文公卒邾人立定公捷菑奔晉○六月同盟于新城從於楚者服從楚者陳鄭宋且謀邾也謀納捷菑○秋七月乙卯夜齊商人弒舍而讓元元商人兄齊惠公也書九月從告七月無乙卯日誤弒本作殺音試元曰爾求之久

矣我能事爾爾不可使多蓄憾 不爲君則恨多蓄勑六切本又作畜憾本又作感戶暗切 將
免我乎爾爲之 言將復殺我復扶又切 ○有星孛入于北斗周內史叔服
曰不出七年宋齊晉之君皆將死亂 後三年宋弒昭公五年齊弒懿公七年晉弒靈公史
服但言事徵而不論其占固非末學所得詳言弒音試下同 ○晉趙盾以諸侯之師八百乘
納捷菑于邾 八百乘六萬人言力有餘乘繩證切注同 邾人辭曰齊出貜且長 貜且定公
貜俱縛切徐居碧切且子餘切長丁丈切下注同 宣子曰辭順而弗從不祥乃還 立適以長
故曰辭順適丁歷切 ○周公將與王孫蘇訟于晉王叛王孫蘇 王厈王叛不與 而
使尹氏與聃啓訟周公于晉 訟理之尹氏周卿士聃啓周大夫聃乃甘切 趙宣子平
王室而復之 復使和親 ○楚莊王立 穆王子也 子孔潘崇將襲羣舒使公
子燮與子儀守而伐舒蓼 即羣舒燮昔協切守手又切蓼音了 二子作亂城郢而
使賊殺子孔不克而還八月二子以楚子出將如商密 國語曰楚莊王
幼弱子儀爲師王子燮爲傅還音旋 廬戢棃及叔麇誘之遂殺鬭克及公子燮 廬今
襄陽中廬縣戢棃廬大夫叔麇其佐鬭克子儀也廬力於切又音盧注同戢側立切麇九倫切 初鬭克囚于秦
在僖二十五年 秦有殽之敗 在僖三十三年 而使歸求成成而不得志 無賞報也 公
子燮求令尹而不得故二子作亂 傳言楚莊幼弱國內亂所以不能與晉競 ○穆伯
之從己氏也 在八年己音紀又音祀 魯人立文伯 穆伯之子穀也 穆伯生二子於
莒而求復文伯以爲請襄仲使無朝聽命復而不出 不得使與聽政事終
寢於家故出入不書爲如字又于僞切下爲請同十五年亦放此與音預 三年而盡室以復適莒文
伯疾而請曰穀之子弱 子孟獻子年尚少盡津忍切復扶又切少詩照切 請立難也 難穀
弟難乃多切又如字 許之文伯卒立惠叔穆伯請重賂以求復惠叔以爲
請許之將來九月卒于齊告喪請葬弗許 請以卿禮葬 ○宋高哀爲
蕭封人以爲卿 蕭宋附庸仕附庸還升爲卿 不義宋公而出遂來奔 出而待放從放
所來故曰遂 書曰宋子哀來奔貴之也 貴其不食汙君之祿辟禍速也汙汙辱之汙 ○齊
人定懿公使來告難故書以九月 齊人不服故三月而後定書以九月明經日月皆從赴難
乃旦切 齊公子元不順懿公之爲政也終不曰公曰夫己氏 猶言某甲
夫音扶己音紀 ○襄仲使告于王請以王寵求昭姬于齊 昭姬子叔姬 曰殺

其子焉用其母請受而罪之冬單伯如齊請子叔姬齊人執
之恨魯恃王勢以求女故（焉）於虔切又執子叔姬欲以恥辱魯
經十有三年春季孫行父如晉。三月宋司馬華孫來盟華孫奉使
鄰國能臨事制宜至魯而後定盟故不稱使其官皆從故書司馬（華）戶化切（使）所吏切（從）才用切。夏曹伯來
朝。齊人歸公孫敖之喪大夫喪還不書善魯感子以赦父敖公族之恩崇仁孝之敎故特錄敖喪
歸以示義。六月辛丑朔日有食之鼓用牲于社傳例曰非禮也。單伯至
自齊。晉郤缺帥師伐蔡戊申入蔡傳例曰獲大城曰入。秋齊人侵我
西鄙。季孫行父如晉。冬十有一月諸侯盟于扈將伐齊晉侯受賂而
止故揔曰諸侯言不足序列。十有二月齊人來歸子叔姬齊人以王故來送子叔姬故與
直出者異文。齊侯侵我西鄙。遂伐曹入其郛郛郭也（郛）音孚
傳十五年春季文子如晉爲單伯與子叔姬故也因晉請齊（爲）于僞切下爲
孟氏下注爲惠叔皆同。三月宋華耦來盟其官皆從之書曰宋司馬華
孫貴之也古之盟會必備威儀崇贄幣賓主以成禮爲敬故傳曰卿行旅從春秋時率多不能備儀華孫能率其屬
以從古典所以敬事而自重使重而事敬則魯尊而禮篤故貴而不名（從）才用切注旅從同又音如字（贄）音至（率）所類切又音
律（使）所吏切公與之宴辭曰君之先臣督得罪於宋殤公名在諸侯
之策臣承其祀其敢辱君耦華督曾孫也督弑殤公在桓二年耦自以罪人子孫故不敢屈辱魯君
對共宴會請承命於亞旅亞旅上大夫也（亞）於嫁切魯人以爲敏無故揚其先祖之罪是不敏魯
人以爲敏明君子所不與也。夏曹伯來朝禮也諸侯五年再相朝以脩王
命古之制也十一年曹伯來朝雖至此乃來亦五年傳爲冬齊侯伐曹張本。齊人或爲孟氏
謀孟氏公孫敖家慶父爲長庶故或稱孟氏（長）丁丈切曰魯爾親也飾棺寘諸堂阜堂阜齊魯
竟上地飾棺不殯示無所歸（寘）之豉切（竟）音境（殯）必刃切魯必取之從之卞人以告卞人魯卞邑大
夫（卞）皮彥切惠叔猶毀以爲請敖卒則惠叔請之至今期年而猶未已毀過喪禮（期）居其切立於
朝以待命許之取而殯之殯於孟氏之寢終叔服之言齊人送之書曰齊人
歸公孫敖之喪爲孟氏且國故也爲惠叔毀請且國之公族故聽其歸殯而書之（爲）于僞切
葬視共仲制如慶父皆以罪降（共）音恭聲己不視帷堂而哭聲己惠叔母怨敖從莒女故帷
堂（己）音紀襄仲欲勿哭怨敖取其妻惠伯曰喪親之終也惠伯叔彭生雖不能

始善終可也史佚有言曰兄弟致美（各盡其美義乃終）救之賀善弔災祭敬喪哀情雖不同毋絶其愛親之道也子無失道何怨於人襄仲説帥兄弟以哭之他年其二子來（穀在莒所生〔毋〕音無〔說〕音悅）孟獻子愛之聞於國（獻子穀之子仲叔蔑〔聞〕音問或如字下同〔蔑〕亡結切）或譖之曰將殺子獻子以告季文子二子曰夫子以愛我聞我以將殺子聞不亦遠於禮乎遠禮不如死一人門于句鼆一人門于戾丘皆死（句鼆戾丘魯邑有寇攻門二子禦之而死〔遠〕于萬切下同〔句〕古侯切〔鼆〕又作黽莫幸切〔戾〕力計切）○六月辛丑朔日有食之鼓用牲于社非禮也（得常鼓之月而於社用牲爲非禮）天子不舉（去盛饌〔去〕起呂切〔饌〕仕眷切）伐鼓于社（責羣陰伐猶擊也）諸侯用幣于社（社尊於諸侯故請救而不敢責之）伐鼓于朝（退自責）以昭事神訓民事君（天子不舉諸侯用幣所以事神尊卑異制所以訓民）示有等威古之道也（等威威儀之等差〔差〕初佳切又初宜切）○齊人許單伯請而赦之使來致命（以單伯執節不移且畏晉故許之）書曰單伯至自齊貴之也（單伯爲魯拘執既免而不廢禮終來致命故貴而告廟〔爲〕于僞切下似爲同〔拘〕音俱）○新城之盟（在前年）蔡人不與（不會盟〔與〕音預下同）晉郤缺以上軍下軍伐蔡（兼帥二軍）曰君弱不可以怠（怠解也〔解〕佳賣切）戊申入蔡以城下之盟而還凡勝國曰滅之（勝國絶其社稷有其土地〔還〕音旋）獲大城焉曰入之（得大都而不有）○秋齊人侵我西鄙故季文子告于晉冬十一月晉侯宋公衛侯蔡侯陳侯鄭伯許男曹伯盟于扈尋新城之盟且謀伐齊也（齊執王使且數伐魯〔使〕所吏切下王使同〔數〕音朔）齊人賂晉侯故不克而還於是有齊難是以公不會（明令不序諸侯不以公不會故〔難〕乃旦切下注同）書曰諸侯盟于扈無能爲故也（惡其受賂不能討齊〔惡〕烏路切）凡諸侯會公不與不書諱君惡也（謂國無難不會義事故爲惡不書謂不國別序諸侯）與而不書後也（謂後期也今貶諸侯似爲公諱故傳發例以明之〔爲〕于僞切）○齊人來歸子叔姬王故也（單伯雖見執能守節不移終達王命使叔姬得歸）○齊侯侵我西鄙謂諸侯不能也（不能討己）遂伐曹入其郛討其來朝也（此年夏朝）季文子曰齊侯其不免乎已則無禮（執王使而伐無罪〔已〕音紀〔使〕所吏切）而討於有禮者曰女何故行禮禮以順天天之道也已則反天而又以討人

難以免矣詩曰胡不相畏不畏于天（詩少雅〔女〕音汝〔相〕息亮切又如字）君子之
不虐幼賤畏于天也在周頌曰畏天之威于時保之（詩周頌言畏天威于是保福祿）
不畏于天將何能保以亂取國奉禮以守猶懼不終多行
無禮弗能在矣（爲十八年齊弑商人傳〔守〕手又切）

經十有六年春季孫行父會齊侯于陽穀齊侯弗及盟（及與也）○
夏五月公四不視朔（諸侯每月必告朔聽政因朝於廟今公以疾闕不得視二月三月四月五月朔也春秋十二公以疾不視朔非一也義無所取故特舉此以表行事因明公之實有疾非詐齊）○六月戊辰公子
遂及齊侯盟于郪丘（信公疾且以賂故郪丘齊地〔郪〕音西又七西切）○秋八月辛未夫
人姜氏薨（僖公夫人文公母也）○毀泉臺（泉臺臺名毀壞之也〔壞〕音怪）○楚人秦人巴
人滅庸（〔巴〕必麻切）○冬十有一月宋人弑其君杵臼（稱君君無道也例在宣四年〔杵〕昌呂切〔臼〕強柳切）

傳十六年春王正月及齊平（齊前年再伐魯魯爲受弱故平〔爲〕于僞切）公有疾使季
文子會齊侯于陽穀請盟齊侯不肯曰請俟君間（間疾瘳〔間〕如字〔瘳〕勑周切差也）○夏五月公四不視朔疾也公使襄仲納賂于齊侯故盟于
郪丘○有蛇自泉宮出入于國如先君之數（伯禽至僖公十七君釋文史記魯世家魯公伯禽子考公酋弟煬公熙子幽公宰弟魏公費子厲公躍子獻公具子愼公濞弟武公敖子懿公戲弟孝公稱子惠公弗皇子隱公息姑弟桓公允子莊公同子閔公開兄僖公申十七也魏公世本作微公順公一作愼公）秋八月
辛未聲姜薨毀泉臺（魯公以爲蛇妖所出而聲姜薨故壞之〔壞〕音怪）○楚大饑戎伐其
西南至于阜山師于大林又伐其東南至于陽丘以侵訾枝（戎山夷也大林陽丘訾枝皆楚邑〔饑〕音飢一音機〔訾〕子斯切）庸人帥羣蠻以叛楚（庸今上庸縣屬楚之小國）
麇人率百濮聚於選將伐楚（選楚地百濮夷也〔麇〕九倫切〔濮〕音卜〔選〕息兗切又息戀切）於是
申息之北門不啓（備中國）楚人謀徙於阪高（楚險地〔阪〕音反一音扶板切）蔿賈
曰不可我能往寇亦能往不如伐庸夫麇與百濮謂我饑不能
師故伐我也若我出師必懼而歸百濮離居將各走其邑誰暇
謀人乃出師旬有五日百濮乃罷（濮夷無屯聚見難則散歸〔罷〕于委切〔屯〕徒門切〔聚〕才住切又如字〔難〕乃旦切又如字）自廬以往振廩同食（往往伐庸也振發也廩倉也同食上下無異饌也〔廬〕力於

切又音盧〔廩〕力甚切次于句澨（楚西界也〔句〕古侯切〔澨〕市世切）使廬戢棃侵庸（戢棃廬大夫）及
庸方城（方城庸地上庸縣東有方城亭）庸人逐之囚子揚窻（窻戢棃官屬〔窻〕初江切）三宿
而逸曰庸師衆羣蠻聚焉不如復大師（還復句澨師）且起王卒合而
後進師叔曰不可（師叔楚大夫潘尫也〔卒〕子忽切〔尫〕烏黃切）姑又與之遇以驕之彼
驕我怒而後可克先君蚡冒所以服陘隰也（蚡冒楚武王父陘隰地名可克或作
可擊〔蚡〕扶粉切〔冒〕莫報切史記楚世家云蚡冒卒弟熊達殺蚡冒子而代立是為楚武王與杜異〔陘〕音刑〔隰〕音習）又與
之遇七遇皆北（軍走曰北〔北〕如字一音佩）唯裨儵魚人實逐之（裨儵魚庸三邑魚魚復縣
今巴東水安縣輕楚故但使三邑人逐之〔裨〕婢支切〔儵〕直留切）庸人曰楚不足與戰矣遂不設
備楚子乘馹會師于臨品（馹傳車也臨品地名〔馹〕人實切〔傳〕丁戀切）分為二隊（隊部也兩
道攻之〔隊〕徒對切）子越自石溪子貝自仞以伐庸（子越鬬椒也石溪仞入庸道〔溪〕苦兮切本
或作谿〔貝〕補蓋切今俗本多作負音云〔仞〕人慎切）秦人巴人從楚師羣蠻從楚子盟（蠻見
楚強故）遂滅庸（傳言楚有謀臣所以興）○宋公子鮑禮於國人（鮑昭公庶弟文公也〔鮑〕步
卯切）宋饑竭其粟而貸之年自七十以上無不饋飴也時加羞珍

異（羞進也〔上〕時掌切〔饋〕其媿切〔飴〕以支切又以志切遺也）無日不數於六卿之門（數不踈〔數〕音朔）
國之材人無不事也（有賢材者）親自桓以下無不恤也（桓鮑之曾祖）公子
鮑美而豔襄夫人欲通之（鮑適祖母〔豔〕移驗切〔適〕丁歷切）而不可（以禮自防閑）乃助
之施昭公無道國人奉公子鮑以因夫人於是華元為右師（元華
督曾孫代公子成〔施〕式豉切）公孫友為左師華耦為司馬（代公子卬）鱗鱹為司徒
蕩意諸為司城公子朝為司寇（代華御事〔鱹〕古亂切〔朝〕如字）初司城蕩卒公
孫壽辭司城（壽蕩之子）請使意諸為之（意諸壽之子）既而告人曰君無道
吾官近懼及焉（偪及己）弃官則族無所庇子身之貳也姑紓死焉（
姑且也紓緩也〔庇〕必利切又悲位切〔紓〕音舒）雖亡子猶不亡族（己在故也）既夫人將使公
田孟諸而殺之公知之盡以寶行蕩意諸曰盍適諸侯公曰不
能其大夫至于君祖母以及國人（君祖母諸侯祖母之稱謂襄夫人〔盍〕戶臘切〔稱〕尺證切）
諸侯誰納我且既為人君而又為人臣不如死盡以其寶賜左
右而使行（行去也）夫人使謂司城去公對曰臣之而逃其難若後

君何言無以事後君難乃旦切冬十一月甲寅宋昭公將田孟諸未至夫
人王姬使帥甸攻而殺之襄夫人周襄王姊故稱王姬帥甸郊甸之師甸徒遍切蕩意諸
死之不書不告書曰宋人弒其君杵臼君無道也始例發於臣之罪今稱國人故重明
君罪重直用切文公即位使母弟須爲司城代意諸華耦卒而使蕩虺爲
司馬虺意諸之弟虺沉鬼切
經十有七年春晉人衛人陳人鄭人伐宋自閔僖已下終於春秋陳侯常在衛侯上
令大夫會在衛下傳不言陳公孫寧後至則寧位非上卿故也○夏四月癸亥葬我小君聲姜
○齊侯伐我西鄙西當爲北蓋經誤○六月癸未公及齊侯盟于穀諸侯
會于扈昭公雖以無道見弒而文公猶宜以弒君受討故林父伐宋以失所稱人晉侯平宋以無功不序明君雖不君
臣不可不臣所以督大教弒本或作殺音試下同○秋公至自穀無傳○冬公子遂如齊
傳十七年春晉荀林父衛孔達陳公孫寧鄭石楚伐宋討曰何
故弒君猶立文公而還卿不書失其所也卿不書謂稱人○夏四月癸
亥葬聲姜有齊難是以緩過五月之例難乃旦切下及注皆同○齊侯伐我北鄙

襄仲請盟六月盟于穀晉不能救魯故請服○晉侯蒐于黃父一名黑壤晉地父音
甫壤如丈切遂復合諸侯于扈平宋也傳不列諸國而言復合則如上十五年會扈之諸侯可知
也復扶又切注同公不與會齊難故也書曰諸侯無功也刺欲平宋而復不能與音
預於是晉侯不見鄭伯以爲貳於楚也鄭子家使執訊而與之
書以告趙宣子執訊通訊問之官爲書與宣子訊音信曰寡君即位三年魯文二年召
蔡侯而與之事君九月蔡侯入于敝邑以行行朝晉也敝邑以侯宣
多之難寡君是以不得與蔡侯偕宣多既立穆公恃寵專權偕音皆十一月克
減侯宣多而隨蔡侯以朝于執事減損也難未盡而行言汲汲于朝晉汲音急十二
年六月歸生佐寡君之嫡夷歸生子家名夷大子名嫡丁歷切以請陳侯于楚
而朝諸君請陳于楚與俱朝晉十四年七月寡君又朝以蕆陳事蕆敕也敕成前
好蕆敕展切好呼報切一本作事十五年五月陳侯自敝邑往朝于君往年正
月燭之武往朝夷也將夷往朝晉八月寡君又往朝以陳蔡之密邇
於楚而不敢貳焉則敝邑之故也密邇比近也邇爾志切雖敝邑之事君

何以不免（免，免罪也）在位之中，一朝于襄（襄公。【朝】直遙切），而再見于君（君，靈公也。【見】賢遍切）。夷與孤之二三臣相及於絳（孤之二三臣，謂燭之武、歸生自謂也。絳，晉國都），雖我小國，則蔑以過之矣。今大國曰：爾未逞吾志。敝邑有亡，無以加焉。古人有言曰：畏首畏尾，身其餘幾？（言首尾有畏，則身中不畏者少。【幾】居豈切）又曰：鹿死不擇音（音，所茠蔭之處。古字聲同，皆相假借。【茠】虛求切。【蔭】於鴆切）。小國之事大國也，德則其人也（以德加己，則以人道相事），不德則其鹿也。鋌而走險，急何能擇？（鋌，疾走貌。言急則欲蔭茠於楚，如鹿赴險。【鋌】它頂切）命之罔極，亦知亡矣（言晉命無極）。將悉敝賦以待於儵，唯執事命之（儵，晉鄭之竟。言欲以兵距晉。【儵】直留切。【竟】音境）。文公二年六月壬申，朝於齊（鄭文二年六月壬申，魯莊二十三年六月二十日）。四年二月壬戌，為齊侵蔡（魯莊二十五年二月無壬戌，三月二十日。【爲】于僞切），亦獲成於楚（鄭與楚成）。居大國之間，而從於強令，豈其罪也？（令，號令也）大國若弗圖，無所逃命。晉鞏朔行成於鄭，趙穿、公壻池為質焉（趙穿，晉卿也。公壻池，晉侯女壻。【鞏】九勇切。【質】音致，下同）。○秋，周甘歜敗戎于邥垂，乘其飲酒也（歜，周大夫。邥垂，周地，河南新城縣北有垂亭。為成元年晉侯平戎于王張本。【歜】昌欲切。【邥】音審）。○冬十月，鄭大子夷、石楚為質于晉（夷，靈公也。石楚，鄭大夫）。○襄仲如齊，拜穀之盟。復曰：臣聞齊人將食魯之麥，以臣觀之，將不能。齊君之語偷。臧文仲有言曰：民主偷必死（偷，猶苟且。【偷】他侯切）。

經十有八年春王二月丁丑，公薨于臺下。○秦伯罃卒（無傳。未同盟而赴以名。【罃】於耕切）。○夏五月戊戌，齊人弒其君商人（不稱盜，罪商人）。○六月癸酉，葬我君文公。○秋，公子遂、叔孫得臣如齊（書二卿，非相為介，以兩事行。【介】音界）。○冬十月，子卒（先君既葬，不稱君者，魯人諱弒，以未成君書之。子在喪之稱。【弒】申志切，本又作殺，之【稱】尺證切）。○夫人姜氏歸于齊（無傳）。○莒弒其君庶其（稱君，君無道也）。

傳十八年春，齊侯戒師期（將以伐魯），而有疾。醫曰：不及秋，將死。公聞之，卜曰：尚無及期（尚，庶幾也。欲令先師期死。【令】力呈切。【先】悉薦切，下同）。惠伯令龜（以卜事告龜），卜楚丘占之曰：齊侯不及期，非疾也；君亦不聞（言君先齊侯終）。令龜有咎（言令龜者亦有凶咎，見於卜兆。為惠伯死張本。【見】賢遍切）。二月丁丑，公薨。○齊懿公之為洛十有八年春齊侯宋公衛侯...
月丁巳公薨 ○齊桓公卒

○夫人姜氏歸于齊 ○齊桓公卒...

○冬十月...

（古典漢文・春秋左傳系統の木版本。印刷が極めて薄く、全文を正確に判読することは困難。）

公子也與邴歜之父爭田弗勝及即位乃掘而刖之（斷其尸足邴音丙又彼病切歜昌欲切掘其勿切又其月切刖音月又五刮切斷丁管切）而使歜僕（僕御也）納閻職之妻而職驂乘（驂乘陪乘驂音七南切乘繩證切注同）夏五月公游于申池（齊南城西門名申門齊城無池唯此門左右有池疑此則是）二人浴于池歜以扑抶職（扑箠也抶擊也欲以相感激扑普卜切抶宇宜從手作木邊非也抶勅乙切嘗市棠切又之棠切激古歷切）職怒歜曰人奪女妻而不怒一抶女庸何傷職曰與刖其父而弗能病者何如（言不以父刖為病恨）乃謀弒懿公納諸竹中歸舍爵而行（飲酒訖乃去言齊人惡懿公二人無所畏女音汝舍音赦置也惡烏路切）齊人立公子元（桓公子惠公）

○六月葬文公

○秋襄仲莊叔如齊惠公立故且拜葬也（襄仲賀惠公立莊叔謝齊來會葬）

○文公二妃敬嬴生宣公敬嬴嬖而私事襄仲宣公長而屬諸襄仲襄仲欲立之叔仲不可（叔仲惠伯嬴音盈嬖必計切長丁丈切屬音燭）仲見于齊侯而請之齊侯新立而欲親魯許之冬十月仲殺惡及視而立宣公（惡大子視其母弟殺視不書賤之見賢遍切）書曰子卒諱之也仲以君命召惠伯（詐以子惡命）其宰公冉務人止之曰入必死叔仲曰死君命可也公冉務人曰若君命可死非君命何聽弗聽乃入殺而埋之馬矢之中（惠伯死不書者史畏襄仲不敢書殺惠伯聽音吐定切）公冉務人奉其帑以奔蔡既而復叔仲氏（不絕其後）

○夫人姜氏歸于齊大歸也（惡視之母出姜也嫌與有罪出者異故復發傳復扶又切）將行哭而過市曰天乎仲為不道殺適立庶市人皆哭魯人謂之哀姜（所謂出姜不允於魯過古禾切又古卧切適丁歷切）

○莒紀公生大子僕又生季佗愛季佗而黜僕且多行無禮於國（紀號也莒夷無謚故有別號佗徒何切）僕因國人以弒紀公以其寶玉來奔納諸宣公公命與之邑曰今日必授季文子使司寇出諸竟曰今日必達（未見公而文子出之故來不書竟音境）公問其故季文子使大史克對曰先大夫臧文仲教行父事君之禮行父奉以周旋弗敢失隊曰見有禮於其君者事之如孝子之養父母也見無禮於其君者誅之如鷹鸇之逐鳥雀也先君周公制周禮曰則以觀德（則法也合法則為吉德大音泰隊直類切養餘亮切鷹於陵切鸇之

然切說文上仙切字林己仙切德以處事處猶制也事以度功度量也〔度〕待洛切注及下同功以
食民食養也〔食〕音嗣注同作誓命曰毀則為賊誓要信也毀則壞法也〔壞〕音怪掩賊為藏
掩匿也〔匿〕女乙切竊賄為盜賄財也盜器為姦器國用也主藏之名以掩賊為名賴
姦之用用姦器也為大凶德有常無赦刑有常在九刑不忘誓命以下皆九刑之
書九刑之書今亡行父還觀莒僕莫可則也還猶周旋〔還〕音旋孝敬忠信為吉
德盜賊藏姦為凶德夫莒僕則其孝敬則弒君父矣則其忠信
則竊寶玉矣其人則盜賊也其器則姦兆也兆域也保而利之則
主藏也以訓則昏民無則焉不度於善度居也而皆在於凶德是
以去之昔高陽氏有才子八人高陽帝顓頊之號八人其苗裔〔去〕起呂切〔顓〕音專〔頊〕許玉切〔裔〕
以制切蒼舒隤敳檮戭大臨尨降庭堅仲容叔達此即垂益禹皐陶之倫庭堅即
皐陶字〔隤〕徒回切〔敳〕五才切一音五回切韋昭音瑰〔檮〕直由切韋昭音兆〔戭〕以善切漢書作歛韋昭巳震切〔尨〕莫江切〔降〕下江
切〔陶〕音遙齊聖廣淵明允篤誠天下之民謂之八愷齊中也淵深也允信也篤厚也
愷和也〔愷〕開在切高辛氏有才子八人高辛帝嚳之號八人亦其苗裔〔嚳〕苦毒切伯奮仲堪

叔獻季仲伯虎仲熊叔豹季貍此即稷契朱虎熊羆之倫〔奮〕甫問切〔熊〕音雄〔貍〕力之切〔契〕息列
切依字當作與古文作禹〔羆〕彼皮切忠肅共懿宣慈惠和天下之民謂之八元肅敬
也懿美也宣徧也元善也〔徧〕音遍此十六族也世濟其美不隕其名濟成也隕隊也〔隕〕于
敏切〔隊〕直類切以至於堯堯不能舉舜臣堯舉八愷使主后土后土地官禹作
司空平水土即主地之官以揆百事莫不時序地平天成揆度也成亦平也〔揆〕葵癸切舉
八元使布五教于四方契作司徒五教在寬故知契在八元之中〔契〕斯列切下同父義母慈
兄友弟共子孝內平外成內諸夏外夷狄〔夏〕戶雅切昔帝鴻氏有不才子帝鴻
黃帝掩義隱賊好行凶德醜類惡物頑嚚不友是與比周醜亦惡也比近
也周密也〔好〕呼報切〔嚚〕魚巾切心不則德義之經為頑口不道忠信之言為嚚〔比〕毗志切天下之民謂之渾
敦謂驩兜渾敦不開通之貌〔渾〕戶本切〔敦〕徒本切〔驩〕呼端切〔兜〕都侯切少皞氏有不才子少皞金天氏之
號次黃帝〔少〕詩照切注同〔皞〕胡老切毀信廢忠崇飾惡言靖譖庸回服讒蒐慝以
誣盛德崇聚也靖安也庸用也回邪也服行也蒐隱也慝惡也盛德賢人也〔蒐〕所留切〔慝〕他得切〔邪〕似嗟切天下
之民謂之窮奇謂共工其行窮其好奇〔奇〕其宜切〔共〕音恭〔行〕下孟切〔好〕呼報切顓頊氏有不才

子不可教訓不知話言 話善也戶快切 話告之則頑 德義不入心 舍之則嚚 不道忠信舍音赦 傲很明德以亂天常天下之民謂之檮杌 謂鯀檮杌頑凶無儔匹之貌傲五報切很戶墾切檮徒刀切杌五忽切鯀古本切 此三族也世濟其凶增其惡名以至于堯堯不能去 方以宣公比堯行父比舜故言堯亦不能去須賢臣而除之去起呂切注及下皆同 縉雲氏有不才子 縉雲黃帝時官名 貪于飲食冒于貨賄侵欲崇侈不可盈厭聚斂積實不知紀極不分孤寡不恤窮匱 冒亦貪也盈滿也實財也厭於豔切匱其媿切 天下之民以比三凶 非帝子孫故別以比三凶 謂之饕餮 貪財為饕貪食為餮饕他刀切餮他結切注同 舜臣堯 為堯臣 賓于四門 闢四門達四聰以賓禮衆賢闢婢亦切聰本亦作窻七工切 流四凶族 案四凶罪狀而流放之 渾敦窮奇檮杌饕餮投諸四裔以禦螭魅 投棄也裔遠也放之四遠使當螭魅之災螭魅山林異氣所生為人害者禦魚呂切螭勑知切山神獸形魅亡備切說文作鬽云老精物也鬽或從未 是以堯崩而天下如一同心戴舜以為天子以其舉十六相去四凶也故虞書數舜之功曰慎徽五典五典克從無違教也 徽美也典常也此八元之功戴多代切相息亮切下注同去起呂切數色主切徽許歸切 曰納于百揆百揆時序無廢事也 此八愷之功 曰賓于四門四門穆穆無凶人也 流四凶 舜有大功二十而為天子 舉十六相去四凶也 今行父雖未獲一吉人去一凶矣於舜之功二十之一也庶幾免於戾乎 史克激稱以辨宣公之惑釋行父之志故其言美惡有過辭蓋事宜也激古歷切

○宋武氏之族道昭公子將奉司城須以作亂 文公弒昭公故武族欲因其子以作亂司城須文公弟釋文宋武氏之族本或作武穆之族者後人取下文妄加也道音導 十二月宋公殺母弟須及昭公子使戴莊桓之族攻武氏於司馬子伯之館 戴族華樂也莊族公孫師也桓族向魚鱗蕩也司馬子伯華耦也向舒亮切 遂出武穆之族 穆族黨於武氏故 使公孫師為司城 公孫師莊公之孫 公子朝卒使樂呂為司寇以靖國人 樂呂戴公之曾孫為宣三年宋師圍曹傳

春秋左氏傳卷第九

春秋經傳集解宣上第十 釋文宣公名倭一名接又作委文公子母敬嬴謚法善問周達曰宣

杜氏　盡十二年

經元年春王正月公即位 無傳 ○公子遂如齊逆女 不譏喪娶者不待貶責而自明也卿爲君逆例在文四年娶七喻切爲于僞切 ○三月遂以夫人婦姜至自齊 稱婦有姑之辭不書氏史闕文 ○夏季孫行父如齊 ○晉放其大夫胥甲父于衛 放者受罪黜免宥之以遠宥音又 ○公會齊侯于平州 平州齊地在泰山牟縣西牟亡侯切 ○公子遂如齊 ○六月齊人取濟西田 魯以賂齊齊人不用師徒故曰取 ○秋邾子來朝 無傳 ○楚子鄭人侵陳遂侵宋晉趙盾帥師救陳 傳言救陳宋經無宋字蓋闕盾徒本切 ○宋公陳侯衛侯曹伯會晉師于棐林伐鄭 晉師救陳宋四國君往會之共伐鄭也不言會趙盾取於兵會非好會也棐林鄭地滎陽宛陵縣東南有林鄉棐芳尾切好呼報切 ○冬晉趙穿帥師侵崇 ○晉人宋人伐鄭 崇本亦作宗

左十

傳元年春王正月公子遂如齊逆女尊君命也 諸侯之卿出入稱名氏所以尊君命也傳於此發者與還文不同故釋之 三月遂以夫人婦姜至自齊尊夫人也 遂不言公子替其尊稱所以成小君之尊也公子當時之寵號非族也故傳不言舍族釋例論之備矣稱尺證切舍音捨 ○夏季文子如齊納賂以請會 宣公簒立未列於會故以賂請之簒初患切 ○晉人討不用命者放胥甲父于衛 胥甲下軍佐文十二年戰河曲不肯薄秦於險 而立胥克 克甲之子 先辛奔齊 辛甲之屬大夫 ○會于平州以定公位 簒立者諸侯既與之會則不得復討臣子殺之與弑君同故公與齊會而位定復扶又切 東門襄仲如齊拜成 謝得會也 六月齊人取濟西之田爲立公故以賂齊也 濟西故曹地僖三十一年晉文以分魯爲于僞切 ○宋人之弑昭公也 在文十六年 晉荀林父以諸侯之師伐宋宋及晉平宋文公受盟于晉又會諸侯于扈將爲魯討齊皆取賂而還 文十五年十七年二扈之盟皆受賂 鄭穆公曰晉不足與也遂受盟于楚陳共公之卒楚人不禮焉 卒在文十三年共音恭 陳靈公受盟于晉秋楚子侵陳遂侵宋晉趙盾帥師救陳宋會于棐林以伐鄭也楚蔿賈救鄭遇于北林 與晉師相遇滎陽中牟縣西南有林亭在鄭北 囚晉解揚晉人乃還 解揚晉大夫解音蟹 晉欲求成於秦趙穿曰我侵崇秦急崇必救之 崇秦之與國秦急崇絕句本或

（作崇急秦必救之是後人改耳）吾以求成焉冬趙穿侵崇秦弗與成晉人伐鄭以報北林之役（報囚解揚）於是晉侯侈趙宣子為政驟諫而不入故不競於楚（競強也為明年鄭伐宋張本【侈】昌氏切又戶氏切【驟】仕救切）

經二年春王二月壬子宋華元帥師及鄭公子歸生帥師戰于大棘宋師敗績獲宋華元（得大夫生死皆曰獲例在昭二十三年大棘在陳留襄邑縣南）〇秦師伐晉〇夏晉人宋人衛人陳人侵鄭（鄭為楚伐宋獲其大夫晉趙盾興諸侯之師將【為】宋報耻畏楚而還失霸者之義故貶稱人【為】于偽切）〇秋九月乙丑晉趙盾弒其君夷皋（靈公不君而稱臣以弒者以示良史之法深責執政之臣例在四年【皋】古刀切）〇冬十月乙亥天王崩（無傳）

傳二年春鄭公子歸生受命于楚伐宋（受楚命也受命于楚本或作命於楚）宋華元樂呂御之二月壬子戰于大棘宋師敗績囚華元獲樂呂（樂呂司空獲不書非元帥也獲生死通名經言獲華元故傳特護之曰囚以明其生獲故得見贖而還【帥】所類切【贖】食欲切）及甲車四百六十乘俘二百五十人馘百人狂狡輅鄭人鄭人入于井（狂狡宋大夫輅迎也【乘】繩證切下同【俘】芳夫切【馘】古獲切馘百又或作馘百者人衍字【狡】古卯切【輅】五嫁切）倒戟而出之獲狂狡君子曰失禮違命宜其為禽也戎昭果毅以聽之之謂禮（聽謂常存於耳著於心想聞其政令【倒】丁老切宜其為禽一本作宜其禽也【毅】魚既切【著】直略切）殺敵為果致果為毅易之戮也（易反易）將戰華元殺羊食士其御羊斟不與及戰曰疇昔之羊子為政（疇昔猶前日也【食】音嗣【斟】之金切【與】音預）今日之事我為政與入鄭師故敗君子謂羊斟非人也以其私憾敗國殄民（憾恨也殄盡也【憾】本亦作感戶暗切注同【敗】必邁切又如字【殄】大典切）於是刑孰大焉詩所謂人之無良者（詩小雅義取不良之人相怨以亡）其羊斟之謂乎殘民以逞宋人以兵車百乘文馬百駟（畫馬為文四百匹【逞】勑領切）以贖華元于鄭半入華元逃歸立于門外告而入（告宋城門而後入言不苟）見叔牂曰子之馬然也（叔牂羊斟也卑賤得先歸華元見而慰之【牂】子郎切）對曰非馬也其人也（叔牂知前言以顯故不敢讓罪）既合而來奔（叔牂言畢遂奔魯合猶荅也）宋城華元為植巡功（植將主也【植】直吏切注同【將】子匠切）城者謳曰睅其目皤其腹棄甲而復（睅出目皤大腹棄甲謂亡師【謳】烏侯切【睅】戶板切說文字林云大目也蘇林云寢視不安皃孟康曰猶分然也【皤】步何切）于思于思棄甲復

來于思多鬒之貌思如字又西才切賈逵云白頭貌復扶又切來力知切又如字以協上韻鬚脩于切字又作鬚使其
驂乘謂之曰牛則有皮犀兕尚多棄甲則那那猶何也驂七南切犀音西兕徐履
切那乃多切役人曰從其有皮丹漆若何華元曰去之夫其口眾我
寡傳言華元不吝其咎寬而容眾漆音七吝力忍切咎其九切秦師伐晉以報崇也伐崇在元
年遂圍焦焦晉河外邑夏晉趙盾救焦遂自陰地及諸侯之師侵鄭
陰地晉河南山北自上洛以東至陸渾渾戶昏切以報大棘之役楚鬭椒救鄭曰能欲
諸侯而惡其難乎遂次于鄭以待晉師趙盾曰彼宗競于楚殆
將斃矣競強也鬭椒若敖之族自子文以來世為令尹惡烏路切難乃旦切斃婢世切姑益其疾乃去
之欲示弱以驕之傳言趙盾所以稱人且為四年楚滅若敖氏張本晉靈公不君失君道也以明於例
應稱國以弒弒申志切厚斂以彫牆彫畫也斂力驗切彫本亦作雕牆在良切從臺上彈人而
觀其辟丸也宰夫胹熊蹯不熟殺之寘諸畚使婦人載以過朝
畚以草索為之筥屬彈徒丹切胹竟而煮也蹯扶元切寘之豉切畚音本索素各切筥九呂切趙盾士季見其
手問其故而患之將諫士季曰諫而不入則莫之繼也會請先

不入則子繼之三進及溜而後視之士季隨會也三進三伏公不省而又前也公知欲諫
故佯不視佯一本作首溜力救切屋霤也曰吾知所過矣將改之稽首而對曰人誰
無過過而能改善莫大焉詩曰靡不有初鮮克有終詩大雅也鮮息淺切
少也下同夫如是則能補過者鮮矣君能有終則社稷之固也豈唯
羣臣賴之又曰袞職有闕惟仲山甫補之能補過也詩大雅也袞君之上
服闕過也言服袞者有過則仲山甫能補之袞古本切君能補過袞不廢矣常服袞也猶不改
宣子驟諫公患之使鉏麑賊之鉏麑晉力士鉏仕俱切麑音迷一音五兮切晨往寢
門闢矣盛服將朝尚早坐而假寐不解衣冠而睡闢婢亦切盛音成本或作成睡垂僞切
麑退歎而言曰不忘恭敬民之主也賊民之主不忠棄君之命
不信有一於此不如死也觸槐而死槐趙盾庭樹槐音懷又音回秋九月晉
侯飲趙盾酒伏甲將攻之其右提彌明知之右車右飲於鴆切提本又作祇上支
切彌面支切趨登曰臣侍君宴過三爵非禮也遂扶以下公嗾夫獒
焉明搏而殺之獒猛犬也扶舊本作扶房孚切服虔注作跣先典切云徒跣也今杜注本往往有跣者嗾素口

來使其驂乘謂之曰：牛則有皮，犀兕尚多，棄甲則那？役人曰：從其有皮，丹漆若何？華元曰：去之，夫其口眾我寡。

秦師伐晉，以報崇也，遂圍焦。

夏，晉趙盾救焦，遂自陰地，及諸侯之師侵鄭，以報大棘之役。楚鬬椒救鄭，曰：能欲諸侯而惡其難乎？遂次于鄭以待晉師。趙盾曰：彼宗競于楚，殆將斃矣。姑益其疾。乃去之。

晉靈公不君：厚斂以彫牆；從臺上彈人，而觀其辟丸也；宰夫胹熊蹯不熟，殺之，寘諸畚，使婦人載以過朝。趙盾、士季見其手，問其故，而患之。將諫，士季曰：諫而不入，則莫之繼也。會請先，不入則子繼之。三進，及溜，而後視之。曰：吾知所過矣，將改之。稽首而對曰：人誰無過，過而能改，善莫大焉。詩曰：靡不有初，鮮克有終。夫如是，則能補過者鮮矣。君能有終，則社稷之固也，豈惟群臣賴之。又曰：袞職有闕，惟仲山甫補之，能補過也。君能補過，袞不廢矣。猶不改。宣子驟諫，公患之，使鉏麑賊之。晨往，寢門闢矣，盛服將朝，尚早，坐而假寐。（不解衣冠而睡）麑退，歎而言曰：不忘恭敬，民之主也。賊民之主，不忠；棄君之命，不信。有一於此，不如死也。觸槐而死。

秋九月，晉侯飲趙盾酒，伏甲將攻之。其右提彌明知之，趨登曰：臣侍君宴，過三爵，非禮也。遂扶以下。公嗾夫獒焉。明搏而殺之。

(切說文云使犬也服本作嗾夫音扶獒五羔切尚書傳云大犬也爾雅云狗四尺爲獒說文云犬知人心可使者搏音博)盾曰弃人用犬雖猛何爲(責公不養士而更以犬爲己用)鬬且出提彌明死之初宣子田於首山舍于翳桑(田獵也翳桑桑之多蔭翳者首山在河東蒲坂縣東南翳於計切蔭音陰又於鴆切)見靈輒餓問其病(靈輒晉人)曰不食三日矣食之舍其半問之曰宦三年矣(宦學也食之音嗣舍音捨)未知母之存否今近焉(去家近)請以遺之使盡之而爲之簞食與肉(簞笥也遺唯季切下注同簞音丹笥思嗣切)寘諸橐以與之既而與爲公介(靈輒爲公甲士橐他洛切[illegible]音頓介音界)倒戟以禦公徒而免之問何故對曰翳桑之餓人也問其名居(問所居)不告而退(不望報也)遂自亡也(輒亦去)乙丑趙穿攻靈公於桃園(穿趙盾之從父昆弟子乙丑九月二十七日攻如字本或作弑)宣子未出山而復(晉竟之山也盾出奔聞公弒而還竟音境下文注同弒音試)大史書曰趙盾弑其君以示於朝宣子曰不然對曰子爲正卿亡不越竟反不討賊非子而誰宣子曰烏呼我之懷矣自詒伊慼其我之謂矣(逸詩也言人多所懷戀則自遺憂大音泰)孔子曰董狐古之良史也書法不隱(不隱盾之罪)趙宣子古之良大夫也爲法受惡(善其爲法受屈爲于僞切注同)惜也越竟乃免(越竟則君臣之義絕可以不討賊)宣子使趙穿逆公子黑臀于周而立之(黑臀晉文公子臀徒門切)壬申朝于武宮(壬申十月十五日既有日而無月冬又在壬申下明傳文無較例較音角)○初麗姬之亂詛無畜羣公子(詛盟誓詈力知切詛側慮切)自是晉無公族(無公子故廢公族之官)及成公即位乃官卿之適而爲之田以爲公族(官仕也爲置田邑以爲公族大夫適本又作嫡丁歷切下及注同爲置于僞切)又官其餘子亦爲餘子(餘子適子之母弟也亦治餘子之政)其庶子爲公行(庶子妾子也掌率公戎行行戶郎切注及下同)晉於是有公族餘子公行(皆官名)趙盾請以括爲公族(括趙盾異母弟趙姬之中子屏季也括古活切中如字又丁仲切屏步丁切)曰君姬氏之愛子也(趙姬文公女成公姊也)微君姬氏則臣狄人也公許之(盾狄外孫也姬氏逆之以爲適事見僖二十四年見賢遍切)冬趙盾爲旄車之族(旄車公行之官盾本卿適其子當爲公族辟屏季故更掌旄車旄音毛一本作耗)使屏季以其故族爲公族大夫(盾以其故官屬與屏季使爲襄之適襄初魚切)

經三年春王正月郊牛之口傷改卜牛牛死乃不郊(牛不稱牲未卜日)

猶三望（）葬匡王無傳四月而葬速○楚子伐陸渾之戎○夏楚人侵
鄭（）秋赤狄侵齊無傳○宋師圍曹○冬十月丙戌鄭伯蘭卒再與文同盟
○葬鄭穆公無傳
傳三年春不郊而望皆非禮也言牛雖傷死當更改卜取其吉者郊不可廢也前年冬天王崩未葬而郊者不以王事廢天事禮記曾子問天子崩未殯五祀不行既殯而祭自啓至于反哭五祀之祭不行已葬而祭望
郊之屬也不郊亦無望可也已有例在僖三十一年復發傳者嫌牛死與卜不從異（復）扶又切
晉侯伐鄭及郔鄭及晉平士會入盟郔鄭地爲夏楚侵鄭傳（郔）音延楚子伐
陸渾之戎遂至於雒觀兵于周疆雒水出上洛冢領山至河南鞏縣入河（疆）居良切定
王使王孫滿勞楚子王孫滿周大夫（勞）力報切楚子問鼎之大小輕重焉示欲偪周取天下
對曰在德不在鼎昔夏之方有德也禹之世（夏）戶雅切遠方圖
物圖畫山川奇異之物而獻之貢金九牧使九州之牧貢金鑄鼎象物象所圖物著之於鼎（鑄）之樹切（著）張慮切著直略切
百物而爲之備使民知神姦圖鬼神百物之形使民逆備之故民
入川澤山林不逢不若若順也螭魅罔兩螭山神獸形魅怪物罔兩水神（螭）勑知切（魅）亡
備切本又作彨（罔）亡丈切（兩）本又作蜽音同說文云罔兩山川之精物也莫能逢之逢遇也用能協于
上下以承天休民無災害則上下和而受天祐（休）許虯切下同（祐）音又桀有昏德鼎遷于
商載祀六百載祀皆年載祀爾雅云商曰祀唐虞曰載周曰年夏曰歲商紂暴虐鼎遷于周
德之休明雖小重也不可遷（紂）直九切其姦回昏亂雖大輕也言可移天
祚明德有所底止底致也（祚）才故切（底）音旨成王定鼎于郟鄏郟鄏今河南也武王遷之
成王定之（郟）古洽切（鄏）音辱卜世三十卜年七百天所命也周德雖衰天命
未改鼎之輕重未可問也　夏楚人侵鄭鄭即晉故也　宋文
公即位三年殺母弟須及昭公子武氏之謀也武氏謀奉弟須及昭公子以作
亂事在文十八年使戴桓之族攻武氏於司馬子伯之館盡逐武穆之
族武穆之族以曹師伐宋秋宋師圍曹報武氏之亂也　冬鄭
穆公卒初鄭文公有賤妾曰燕姞姞南燕姓（姞）其乙切又其吉切夢天使與已
蘭蘭香草曰余爲伯儵余而祖也伯儵南燕祖（儵）直留切以是爲而子以蘭爲女
子名（女）音汝以蘭有國香人服媚之如是媚愛也欲令人愛之如蘭（媚）亡冀切（令）力呈切既

而文公見之與之蘭而御之辭曰妾不才幸而有子將不信敢
徵蘭乎 懼將不見信故欲計所賜蘭爲懷子月數 公曰諾生穆公名之曰蘭文公報
鄭子之妃曰陳嬀 鄭子文公叔父子儀也漢律淫季父之妻曰報 嬀九危切 生子華子臧子
臧得罪而出 出奔宋 臧作郎切 誘子華而殺之南里 在僖十六年 南里鄭地 使盜
殺子臧於陳宋之間 在僖二十四年 又娶于江生公子士朝于楚楚人
酖之及葉而死 葉楚地今南陽葉縣 酖直蔭切 葉式涉切 又娶于蘇生子瑕子俞彌
俞彌早卒洩駕惡瑕文公亦惡之故不立也 洩駕鄭大夫 俞音榆 惡烏路切下同
公逐羣公子公子蘭奔晉從晉文公伐鄭 在僖三十年 從如字又才用切 石癸
曰吾聞姬姞耦其子孫必蕃 姞姓宜爲姬配耦 癸居揆切 蕃音煩下同 姞吉人也后
稷之元妃也 姞姓之女爲后稷妃周是以興故曰吉人 今公子蘭姞甥也天或啓之
必將爲君其後必蕃先納之可以亢寵 亢極也 亢苦浪切 與孔將鉏侯
宣多納之盟于大宮而立之 大宮鄭祖廟 鉏仕俱切 大音泰注同 以與晉平穆公
有疾曰蘭死吾其死乎吾所以生也刈蘭而卒 傳言穆氏所以大興於鄭天所

啓也 刈魚廢切
經四年春王正月公及齊侯平莒及郯莒人不肯公伐莒取向
莒郯二國相怨故公與齊侯共平之向莒邑東海承縣東南有向城遠疑也 郯音談 向舒亮切 承韋昭之甑切一音承又音拯
○秦伯稻卒 無傳未同盟 稻徒老切 ○夏六月乙酉鄭公子歸生弑其君
夷 傳例曰稱臣臣之罪也子公實弑而書子家罪其權不足也 ○赤狄侵齊 無傳 ○秋公如齊
無傳 ○公至自齊 無傳告于廟例在桓二年 ○冬楚子伐鄭
傳四年春公及齊侯平莒及郯莒人不肯公伐莒取向非禮也
平國以禮不以亂伐而不治亂也 責公不先以禮治之而用伐 治直吏切 以亂平
亂何治之有無治何以行禮○楚人獻黿於鄭靈公 穆公大子夷也 黿音
元 公子宋與子家將見 宋子公也子家歸生 見賢遍切 子公之食指動 第二指也 以
示子家曰他日我如此必嘗異味及入宰夫將解黿相視而笑
公問之 問所笑 解如字一音蟹 子家以告及食大夫黿召子公而弗與也
欲使指動無效 食音嗣 子公怒染指於鼎嘗之而出公怒欲殺子公子公

與子家謀先（先公爲難〔染〕如琰切〔先〕悉薦切〔難〕乃旦切）子家曰畜老猶憚殺之（六畜〔畜〕許又切注同王許六切〔憚〕徒旦切難也）而況君乎反譖子家子家懼而從之（譖子家於公）

夏弒靈公書曰鄭公子歸生弒其君夷權不足也（子家權不足以禦亂懼譖而從弒君故書以首惡〔禦〕魚呂切）君子曰仁而不武無能達也（初稱畜老仁也不討子公是不武也故不能自通於仁道而陷弒君之罪）凡弒君稱君君無道也稱臣臣之罪也（稱君謂唯書君名而稱國以弒言衆所共絕也稱臣者謂書弒者之名以示來世終爲不義改殺稱弒辟其惡名取有漸也書弒之義釋例論之備矣）鄭人立子良（穆公庶子）辭曰以賢則去疾不足（去疾子良名〔去〕起呂切下皆同）以順則公子堅長乃立襄公（襄公堅也〔長〕丁丈切）襄公將去穆氏（逐羣兄弟）而舍子良（以其讓已〔舍〕音赦下同）子良不可曰穆氏宜存則固願也若將亡之則亦皆亡去疾何爲（何爲獨留）乃舍之皆爲大夫○初楚司馬子良生子越椒子文曰必殺之（子文子良之兄）是子也熊虎之狀而豺狼之聲弗殺必滅若敖氏矣諺曰狼子野心是乃狼也其可畜乎子良不可子文以爲大慼及將死聚其族曰椒也知政乃

速行矣無及於難且泣曰鬼猶求食若敖氏之鬼不其餒而（而語助言必敗〔難〕乃旦切〔餒〕奴罪切餓也）及令尹子文卒鬬般爲令尹子揚（般子文之子子揚〔般〕音班）子越爲司馬蔿賈爲工正譖子揚而殺之子越爲令尹己爲司馬（賈爲椒譖子揚而己得椒處〔蔿〕于委切〔爲〕于僞切〔處〕昌慮切）子越又惡之（惡賈〔惡〕烏路切注同）乃以若敖氏之族圄伯嬴於轑陽而殺之（圄囚也伯嬴蔿賈也轑陽楚邑〔圄〕魚呂切〔嬴〕音盈〔轑〕音遼）遂處烝野將攻王王以三王之子爲質焉弗受（烝野楚邑三王文成穆〔烝〕之承切〔質〕音致）師于漳澨（漳澨漳水邊〔漳〕音章〔澨〕市制切）秋七月戊戌楚子與若敖氏戰于皋滸（皋滸楚地〔滸〕呼五切）伯棼射王汰輈及鼓跗著於丁寧（伯棼越椒也輈車轅汰過也箭過車轅上丁寧鉦也〔棼〕扶云切〔射〕食亦切〔汰〕他末切〔輈〕陟留切〔跗〕芳扶切〔著〕直略切〔鉦〕音征）又射汰輈以貫笠轂（兵車無蓋尊者則邊人執笠依轂而立以禦寒暑名曰笠轂此言箭過車轅及王之蓋〔貫〕古亂切〔笠〕音立〔轂〕古木切）師懼退王使巡師曰吾先君文王克息獲三矢焉伯棼竊其二盡於是矣鼓而進之遂滅若敖氏初若敖娶於䢵（䢵國名䢵本又作鄖音云）生鬬伯比若敖卒從其母畜於䢵（畜養也〔畜〕許六切）淫於䢵子之女

生子文焉邔夫人使弃諸夢中夢澤名江下安陸縣城東南有雲夢城夢音蒙又亡貢切虎
乳之邔子田見之懼而歸夫人以告告女私通所生乳如主切遂使收之楚
人謂乳穀謂虎於菟故命之曰鬭穀於菟以其女妻伯比伯比所淫
者穀奴口切於音烏菟音徒妻七計切實爲令尹子文鬭氏始自子文爲令尹其孫箴尹克
黃箴尹官名克黃子揚之子箴之金切使於齊還及宋聞亂其人曰不可以入矣
箴尹曰弃君之命獨誰受之君天也天可逃乎遂歸復命而自
拘於司敗王思子文之治楚國也曰子文無後何以勸善使復
其所改命曰生易其名也使所吏切拘音俱冬楚子伐鄭鄭未服也前年楚侵
鄭不獲成故曰未服
經五年春公如齊。夏公至自齊。秋九月齊高固來逆叔姬
高固齊大夫不書女歸降於諸侯。叔孫得臣卒無傳不書日公不與小斂與音預斂力驗切。冬
齊高固及子叔姬來叔姬寧固反馬。楚人伐鄭
傳五年春公如齊高固使齊侯止公請叔姬焉留公強成昏強其丈切。
夏公至自齊書過也公既見止連昏於鄰國之臣厭尊毀列累其先君而於廟行飲至之禮故書以示過
厭於涉切累劣僞切。秋九月齊高固來逆女自爲也故書曰逆叔姬卿
自逆也適諸侯稱女適大夫稱字所以別尊卑也此春秋新例故稱書曰而不言凡也不於莊二十七年發例者嫌見
逼而成昏因明之爲于僞切別彼列切。冬來反馬也禮送女留其送馬謙不敢自安三月廟見遣使反馬
高固遂與叔姬俱寧故經傳具見以示譏見賢遍切下同使所吏切。楚子伐鄭陳及楚平晉荀
林父救鄭伐陳爲明年晉衛侵陳傳
經六年春晉趙盾衛孫免侵陳。夏四月。秋八月螽無傳。冬
十月
傳六年春晉衛侵陳陳即楚故也。夏定王使子服求后于齊子服周大夫。秋赤狄伐晉圍懷及邢丘邢丘今河內平皋縣晉侯欲伐之中
行桓子曰使疾其民驕則數戰爲民所疾數所角切以盈其貫將可殪也殪盡也貫
猶習也貫古患切注同殪於計切。周書曰殪戎殷周書康誥也義取周武王以兵伐殷盡滅之此類
之謂也爲十五年晉滅狄傳爲于僞切下注同。冬召桓公逆王后于齊召桓公王卿士

事不關魯故不書爲成二年王甥舅張本 召上照切 ○楚人伐鄭取成而還 九年十一年傳所稱厲之
役蓋在此 ○鄭公子曼滿與王子伯廖語欲爲卿 二子鄭大夫 曼音萬 廖力彫切 伯
廖告人曰無德而貪其在周易豐䷶ 離下震上豐 之離䷝ 豐上六變而爲純離
也周易論變故雖不筮必以變言其義豐上六曰豐其屋蔀其家闚其戶闃其無人三歲不覿凶義取無德而大其屋不過三
歲必滅亡 蔀步口切又普口切 闚苦規切 闃苦鶪切 覿徒歷切 弗過之矣 不過三年 間一歲鄭人殺
之 間間厠之間

經七年春衛侯使孫良夫來盟○夏公會齊侯伐萊 傳例曰不與謀也萊
國今東萊黃縣 萊音來 與音預 ○秋公至自伐萊 無傳 ○大旱 無傳書旱而不書雩雩無功或不雩
○冬公會晉侯宋公衛侯鄭伯曹伯于黑壤 壤如丈切
傳七年春衛孫桓子來盟始通且謀會晉也 公即位衛始脩好 好呼報切 ○
夏公會齊侯伐萊不與謀也凡師出與謀曰及不與謀曰會 與謀
者謂同志之國相與講議利害計成而行之故以相連及爲文若不獲已應命而出則以外合爲文皆據魯而言師者國之大
事存亡之所由故詳其舉動以例別之 與音預下及注與謀同年末不與放此 應應對之應 別彼列切下及注同 ○赤
狄侵晉取向陰之禾 此無秋字蓋闕文晉用桓子謀故縱狄 向舒亮切 ○鄭及晉平公
子宋之謀也故相鄭伯以會冬盟于黑壤王叔桓公臨之以謀
不睦 王叔桓公周卿士銜天子之命以監臨諸侯不同歃者尊卑之別也 相息亮切 歃所合切又所甲切 監古銜切 ○
晉侯之立也 在二年 公不朝焉又不使大夫聘晉人止公于會盟
于黃父公不與盟以賂免 黃父即黑壤 故黑壤之盟不書諱之也 慢盟
主以取執止之辱故諱之

經八年春公至自會 無傳義與五年書過同 ○夏六月公子遂如齊至黃
乃復 無傳蓋有疾而還大夫受命而出雖死以尸將事遂以疾還非禮也 ○辛巳有事于大廟仲
遂卒于垂 有事祭也仲遂與祭同日略書有事爲繹張本不言公子因上行還間無異事省文從可知也稱字時
君所嘉無義例也垂齊地非魯竟故書地 大音泰傳同 爲于僞切 省所景切 竟音境 壬午猶繹萬入去籥
繹又祭陳昨日之禮所以賓尸萬舞名籥管也猶者可止之辭魯人知卿佐之喪不宜作樂而不知廢繹故內舞去籥惡其聲
聞 去起呂切注及傳同 籥羊略切 管音館 惡烏路切 聞音問又如字 ○戊子夫人嬴氏薨 無傳宣公母也
○晉師白狄伐秦○楚人滅舒蓼○秋七月甲子日有食之既

無傳月三十日食○冬十月己丑葬我小君敬嬴敬諡嬴姓也反哭成喪故稱葬小君雨不克葬庚寅日中而克葬克成也○城平陽今泰山有平陽縣○楚師伐陳

傳八年春白狄及晉平夏會晉伐秦經在仲遂卒下從赴晉人獲秦諜殺諸絳市六日而蘇蓋記異也諜徒協切間也今謂之細作絳古巷切○有事于大廟襄仲卒而繹非禮也○楚為衆舒叛故伐舒蓼滅之舒蓼二國名為于偽切楚子疆之疆正其界也疆居良切及滑汭滑水名滑于八切汭如銳切一音如悅切盟吳越而還吳國今吳郡越國今會稽山陰縣也傳言楚彊吳越服從會古外切稽古兮切彊其良切○晉胥克有蠱疾惑以喪志蠱音古喪息浪切郤缺為政代趙盾秋廢胥克使趙朔佐下軍朔盾之子代胥克為成十七年胥童怨郤氏張本○冬葬敬嬴旱無麻始用葛茀記禮變之所由茀所以引柩殯則有之以備火葬則以下柩茀方勿切引柩索也柩其又切雨不克葬禮也禮卜葬先遠日辟不懷也懷思也○城平陽書時也○陳及晉平楚師伐陳取成而還言晉楚爭強

經九年春王正月公如齊無傳○公至自齊無傳○夏仲孫蔑如京師○齊侯伐萊無傳○秋取根牟根牟東夷國也今琅邪陽都縣東有牟鄉○八月滕子卒未同盟○九月晉侯宋公衛侯鄭伯曹伯會于扈○晉荀林父帥師伐陳○辛酉晉侯黑臀卒于扈卒於竟外故書地四與文同盟九月無辛酉日誤竟音境○冬十月癸酉衛侯鄭卒無傳三與文同盟○宋人圍滕○楚子伐鄭○晉郤缺帥師救鄭○陳殺其大夫洩冶洩冶直諫於淫亂之朝以取死故不為春秋所貴而書名洩息列切冶音也

傳九年春王使來徵聘徵召也言周微也徵聘不書微加諷諭不指斥諷芳鳳切夏孟獻子聘於周王以為有禮厚賄之賄呼罪切字林音梅○秋取根牟言易也易以豉切○滕昭公卒為宋圍滕傳○會于扈討不睦也謀齊陳陳侯不會前年與楚成故晉荀林父以諸侯之師伐陳不書諸侯師林父帥之無將帥將子匠切帥所類切晉侯卒于扈乃還○冬宋人圍滕因其喪也○陳靈公與孔寧儀行父通於夏姬皆衷其衵服以戲于朝二子陳卿夏姬鄭穆公女陳大夫御叔妻衷懷也衵服近身衣夏戶雅切衷音忠王丁仲切衵女乙切一音汝栗切說文云日日所衣裳也字林同又仁一切戲如字一音魚

呂切近附近之近洩冶諫曰公卿宣淫民無效焉宣示也效戶教切且聞不令
君其納之納藏相服聞如字一音問公曰吾能改矣公告二子二子請殺之公
弗禁遂殺洩冶孔子曰詩云民之多辟無自立辟其洩冶之謂
乎辟邪也辟法也詩大雅言邪辟之世不可立法國無道危行言孫禁居鴆切又音金辟本又作僻匹亦切下立辟婢亦切
注同邪似嗟切下同行下孟切孫音遜○楚子爲厲之役故伐鄭六年楚伐鄭取成於厲既成鄭
伯逃歸事見十一年爲于僞切見賢遍切○晉郤缺救鄭鄭伯敗楚師于柳棼柳棼鄭地
柳力手切棼扶云切國人皆喜唯子良憂曰是國之災也吾死無日矣自是
晉楚交共伐鄭十二年卒有楚子入鄭之禍
經十年春公如齊○公至自齊無傳○齊人歸我濟西田元年以賂齊也
不言來公如齊因受之濟子禮切○夏四月丙辰日有食之無傳不書朔官失之○己巳
齊侯元卒未同盟而赴以名○齊崔氏出奔衛齊略見舉族出因其告辭以見無罪見賢遍切
下同○公如齊○五月公至自齊無傳○癸巳陳夏徵舒弒其君平
國徵舒陳大夫也靈公惡不加民故稱臣以弒夏戶雅切○六月宋師伐滕○公孫歸父

如齊葬齊惠公無傳歸父襄仲之子○晉人宋人衛人曹人伐鄭鄭及楚平故
○秋天王使王季子來聘王季子者公羊以爲天王之母弟然則字季子天子大夫稱字○公孫
歸父帥師伐邾取繹繹邾邑魯國鄒縣北有繹山繹音亦○大水無傳○季孫行父
如齊○冬公孫歸父如齊○齊侯使國佐來聘既葬成君故稱君命使也○饑
無傳有水災嘉穀不成○楚子伐鄭
傳十年春公如齊齊侯以我服故歸濟西之田公比年朝齊故○夏齊
惠公卒崔杼有寵於惠公高國畏其偪也高國二家齊正卿杼直呂切偪彼力切
公卒而逐之奔衛書曰崔氏非其罪也且告以族不以名典策之法
告者皆當書以名今齊特以族告夫子因而存之以示無罪又言且告以族不以名者明春秋有因而用之不皆改舊史凡
諸侯之大夫違違奔放也告於諸侯曰某氏之守臣某上某氏者姓下某名守手
又切失守宗廟敢告所有玉帛之使者則告玉帛之使謂聘使所吏切不然則
否恩好不接故亦不告好呼報切○公如齊奔喪公親奔喪非禮也公出朝會奔喪會葬皆書如不言其事
史之常也陳靈公與孔寧儀行父飲酒於夏氏公謂行父曰徵舒

似女對曰亦似君徵舒病之靈公即位於今十五年徵舒已爲卿年大無嫌是公子蓋以夏姬淫
放故謂其子多似以爲戲夏戸雅切女音汝公出自其廄射而殺之二子奔楚廄居又切
射食亦切○滕人恃晉而不事宋六月宋師伐滕○鄭及楚平前年敗楚
師恐楚深怨故與之平諸侯之師伐鄭取成而還○秋劉康公來報聘報孟
獻子之聘即王季子也其後食采於劉○師伐邾取繹爲子家如齊傳○季文子初聘于齊
齊侯初即位○冬子家如齊伐邾故也魯侵小恐爲齊所討故往謝○國武子
來報聘報文子也○楚子伐鄭晉士會救鄭逐楚師于潁北潁水出河南陽
城至下蔡入淮諸侯之師戍鄭鄭子家卒鄭人討幽公之亂斲子家之
棺而逐其族以四年弒君故也斲薄其棺不使從卿禮斲竹角切改葬幽公謚之曰靈
經十有一年春王正月○夏楚子陳侯鄭伯盟于辰陵楚復伐鄭故受
盟也辰陵陳地潁川長平縣東南有辰亭復扶又切下復封陳同○公孫歸父會齊人伐莒無傳
○秋晉侯會狄于欑函晉侯往會之故以狄爲會主欑函狄地欑才端切函音咸○冬十月
楚人殺陳夏徵舒不言楚子而稱人討賊辭也○丁亥楚子入陳楚子先殺徵舒而欲

縣陳後得申叔時諫乃復封陳不有其地故書入在殺徵舒之後○納公孫寧儀行父于陳二子
淫昏亂人也君弒之後能外託楚以求報君之讎內結強援於國故楚莊得平步而討陳除弒君之賊於時陳成公播蕩於晉
定二君之嗣靈公成喪賊討國復功足以補過故君子善楚復之播補賀切蕩如字
傳十一年春楚子伐鄭及櫟子良曰晉楚不務德而兵爭與其
來者可也晉楚無信我焉得有信乃從楚夏楚盟于辰陵陳鄭
服也傳言楚與晉狎主盟櫟力狄切爭爭鬭之爭焉於虔切夏楚盟本或作楚子○楚左尹子重侵
宋子重公子嬰齊莊王弟王待諸郔郔楚地郔音延令尹蔿艾獵城沂艾獵孫叔敖也沂楚
邑艾五蓋切獵力涉切沂魚依切使封人慮事封人其時主築城者慮事無慮計功慮如字一音力於切以
授司徒司徒掌役量功命日命作日數分財用財具築作具平板榦榦楨也榦古旦切亦
作幹楨音貞稱畚築量輕重畚盛土器畚音本盛音成程土物爲作程限爲于僞切又如字議遠
邇均勞逸略基趾趾城足略行也趾音止行下孟切具餱糧餱乾食也餱音侯糧音良乾食如字一音
餱本或作乾飯度有司謀監主度待洛切監古銜切事三旬而成十日爲旬不愆于素不過
素所慮之期也傳言叔敖之能使民愆起虔切晉郤成子求成于衆狄衆狄疾赤狄

之役遂服于晉 赤狄潞氏最強故服役衆狄 潞音路 秋會于欑函衆狄服也是行也諸大夫欲召狄郤成子曰吾聞之非德莫如勤非勤何以求人能勤有繼其從之也 勤則功繼之 詩曰文王既勤止 詩頌文王勤以創業 創初亮切 文王猶勤況寡德乎○冬楚子爲陳夏氏亂故伐陳 十年夏徵舒弒君 爲于僞切 謂陳人無動將討於少西氏 少西徵舒之祖子夏之名 少詩照切 遂入陳殺夏徵舒轘諸栗門 轘車裂也栗門陳城門 轘音患 因縣陳 滅陳以爲楚縣 陳侯在晉 靈公子成公午 申叔時使於齊反復命而退王使讓之曰夏徵舒爲不道弒其君寡人以諸侯討而戮之諸侯縣公皆慶寡人 楚縣大夫皆僭稱公 使所吏切 僭子念切 女獨不慶寡人何故對曰猶可辭乎王曰可哉曰夏徵舒弒其君其罪大矣討而戮之君之義也抑人亦有言曰牽牛以蹊人之田 抑辭也蹊徑也 女音汝 蹊音兮 徑古定切 而奪之牛牽牛以蹊者信有罪矣而奪之牛罰已重矣諸侯之從也曰討有罪也今縣陳貪其富也以討召諸侯而以貪歸之無乃不可乎王曰善哉

吾未之聞也反之可乎對曰可哉吾儕小人所謂取諸其懷而與之也 叔時謙言小人意淺謂譬如取人物於其懷而還之爲愈於不還 儕仕皆切輩也 乃復封陳鄉取一人焉以歸謂之夏州 州鄉屬示討夏氏所獲也 復扶又切 夏戶雅切 故書曰楚子入陳納公孫寧儀行父于陳書有禮也 沒其縣陳本意全以討亂存國爲文善其復禮

○厲之役鄭伯逃歸 蓋在六年 自是楚未得志焉鄭既受盟于辰陵又徼事于晉 爲明年楚圍鄭傳十年鄭及楚平既無其事辰陵盟後鄭徼事晉又無端跡傳皆特發以明經也自厲之役鄭南北兩屬故未得志九年楚子伐鄭不以黑壤與伐遠稱厲之役者志恨在厲役此皆傳上下相包通之義也 徼古堯切

春秋左氏傳卷第十

杜氏　盡十八年

經十有二年春葬陳靈公無傳賊討國復二十二月然後得葬○楚子圍鄭前年盟辰陵而又徼事晉故徼古堯切○夏六月乙卯晉荀林父帥師及楚子戰于邲晉師敗績晉上軍成陳故書戰邲鄭地邲扶必切一音弼陳音直覲切○秋七月○冬十有二月戊寅楚子滅蕭蕭宋附庸國十二月無戊寅戊寅十一月九日○晉人宋人衛人曹人同盟于清丘晉衛背盟故大夫稱人宋華椒承羣僞之言以誤其國宋雖有守信之善而椒猶不免譏清丘衛地今在濮陽縣東南背蒲對切下注同○宋師伐陳衛人救陳背清丘之盟

傳十二年春楚子圍鄭旬有七日鄭人卜行成不吉卜臨于大宮且巷出車吉臨哭也大宮鄭祖廟臨力鴆切注下同大音泰注同出車於巷示將見遷不得安居國人大臨守陴者皆哭陴城上僻倪皆哭所以告楚窮也陴婢支切徐扶移切僻普計切倪五計切楚子退師鄭人脩城進復圍之三月克之哀其窮哭故爲退師而猶不服故復圍之九十日復扶又切注同爲于僞切入自皇門至于逵路塗方九軌曰逵逵求龜切爾雅云九達謂之逵說文作馗云九達道似龜背故謂之馗逵或馗字鄭伯肉袒牽羊以逆肉袒牽羊示服爲臣僕袒徒旱切曰孤不天不爲天所祐祐音又不能事君使君懷怒以及敝邑孤之罪也敢不唯命是聽其俘諸江南以實海濱亦唯命其翦以賜諸侯使臣妾之亦唯命翦削也俘芳夫切四也濱音賓翦子淺切若惠顧前好楚鄭世有盟誓之好好呼報切注同徼福於厲宣桓武不泯其社稷周厲王宣王鄭之所自出也鄭桓公武公始封之賢君也願楚要福于此四君使社稷不滅泯猶滅也厲宣鄭桓公友周厲王之子宣王之母弟桓武鄭武公名滑突桓公之子泯彌忍切徐亡軫切要於遙切使改事君夷於九縣楚滅九國以爲縣願得比之九縣莊十四年滅息十六年滅鄧僖五年滅弦十二年滅黃二十六年滅夔文四年滅江五年滅六滅蓼十六年滅庸傳稱楚武王克權使鬭緡尹之又稱文王縣申息凡十一國不知何以言九君之惠也孤之願也非所敢望也敢布腹心君實圖之左右曰不可許也得國無赦王曰其君能下人必能信用其民矣庸可幾乎退三十里而許之平退一舍以禮鄭下遐嫁切幾音冀潘尫入盟子良出質潘尫楚大夫子良鄭伯弟尫烏黃切質音致○夏六月晉師救鄭荀林父將中軍代郤缺將子匠切下及注同下尹將將左將右放此先縠佐之彘季

代林父(縠)戶木切又作縠同(彘)直例切士會將上軍河曲之役郤缺將上軍宣八年代趙盾為政將中軍士會
代將上軍郤克佐之郤缺之子代臾駢(臾)羊朱切(駢)蒲邊切趙朔將下軍代欒盾欒書佐
之欒盾之子代趙朔趙括趙嬰齊為中軍大夫括嬰齊皆趙盾異母弟鞏朔韓穿
為上軍大夫荀首趙同為下軍大夫荀首林父弟趙同趙嬰兄(鞏)九勇切韓厥為
司馬韓萬玄孫及河聞鄭既及楚平桓子欲還曰無及於鄭而勦民
焉用之桓子林父勦勞也(勦)初交切徐子小切(焉)於虔切楚歸而動不後動兵伐鄭隨武子
曰善武子士會會聞用師觀釁而動釁罪也(釁)許覲切服云間也德刑政事典禮
不易不可敵也不為是征言征伐為有罪不為有禮(為)于偽切注同楚軍討鄭怒其
貳而哀其卑叛而伐之服而舍之德刑成矣伐叛刑也柔服德
也二者立矣昔歲入陳討徵舒今茲入鄭民不罷勞君無怨讟(讟)
也(罷)音皮(讟)徒木切政有經矣經常也荊尸而舉荊楚也尸陳也楚武王始更為此陳法遂以為名(陳)
直覲切下同商農工賈不敗其業而卒乘輯睦步曰卒車曰乘(賈)音古(卒)子忽切注同(乘)
繩證切注皆同(輯)音集又七入切事不奸矣奸犯也(奸)音干蔿敖為宰擇楚國之令典
宰令尹蔿敖孫叔敖(為)于偽切軍行右轅左追蓐在車之右者挾轅為戰備在左者追求草蓐為宿備傳曰
令尹南轅又曰改乘轅楚陳以轅為主(蓐)音辱(挾)胡牒切又古洽切又古協切前茅慮無慮無如今軍行前有斥候
蹹伏皆持以絳及白為幡見騎賊舉絳幡見步賊舉白幡備慮有無也茅明也或曰時楚以茅為旌識(蹹)徒臘切(幡)芳元切(騎)
其寄切(識)申志切一音志中權後勁中軍制謀後以精兵為殿(勁)吉政切(殿)丁練切百官象物而動
軍政不戒而備物猶類也戒勑令能用典矣其君之舉也內姓選於親
外姓選於舊言親疏並用舉不失德賞不失勞老有加惠賜老則不計勞旅
有施舍旅客來者施之以惠舍不勞役君子小人物有服章尊卑別也(別)彼列切貴有常
尊賤有等威威儀有等差(差)初佳切又初宜切禮不逆矣德立刑行政成事時
典從禮順若之何敵之見可而進知難而退軍之善政也兼弱
攻昧武之善經也昧昏亂經法也(昧)音妹子姑整軍而經武乎姑且也猶有
弱而昧者何必楚仲虺有言曰取亂侮亡兼弱也仲虺湯左相薛之相奚仲
之後(虺)許鬼切(侮)亡呂切(相)息亮切汋曰於鑠王師遵養時晦汋詩頌篇名鑠美也言美武王能遵
天之道須暗昧者惡積而後取之(汋)章略切(於)音烏(鑠)舒若切注同耆昧也耆致也致討於昧(耆)音旨徐其夷切下同

武曰無競惟烈武詩頌篇名烈業也言武王兼弱取昧故成無疆之業疆居良切撫弱者昧以
務烈所可也言當務從武王之功業撫而取之以務烈所絕句欒子曰不可欒子先穀晉所
以霸師武臣力也今失諸侯不可謂力有敵而不從不可謂武
由我失霸不如死且成師以出聞敵彊而退非夫也非丈夫命為
軍帥而卒以非夫唯羣子能我弗為也以中軍佐濟佐彘子所帥也濟渡
河帥所類切下及注有帥元帥三帥同知莊子曰此師殆哉莊子荀首知音智周易有之
在師䷆坎下坤上師之臨䷒兌下坤上臨師初六變而之臨曰師出以律否臧凶此師
卦初六爻辭律法否不也臧子郎切執事順成為臧逆為否今彘子逆命不順成故應否臧之凶應應
對之衆散為弱坎為衆今變為兌兌柔弱川壅為澤坎為川今變為兌兌為澤是川見壅壅於勇切
本又作雍注皆同有律以如已也如從也法行則人從法法敗則法從人坎為法象今為衆則散為川則壅
是失法之用從人之象故曰律否臧且律竭也竭敗也坎變為兌是法敗盈而以竭夭
且不整所以凶也水遇夭塞不得整流則竭涸也夭於表切不行之謂臨水變為澤乃成臨卦
澤不行之物有帥而不從臨孰甚焉此之謂矣譬彘子之違命亦不可行果遇必

敗遇敵彘子尸之主此禍雖免而歸必有大咎為明年晉殺先穀傳咎其九切韓獻
子謂桓子獻子韓厥曰彘子以偏師陷子罪大矣子為元帥師不用
命誰之罪也失屬亡師為罪已重不如進也今鄭屬楚故曰失屬彘子以偏師陷
故曰亡師令力呈切事之不捷惡有所分捷成也與其專罪六人同之不猶
愈乎三軍皆敗則六卿同罪不得獨責元帥師遂濟楚子北師次于郔郔鄭北也郔音延
沈尹將中軍沈或作寢寢縣也今汝陰固始縣沈音審子重將左子反將右將飲馬
於河而歸子反公子側飲於鴆切聞晉師既濟王欲還嬖人伍參欲戰參伍
奢之祖父嬖必計切徐甫詣切字林方鼓切參七南切令尹孫叔敖弗欲曰昔歲入陳今
茲入鄭不無事矣戰而不捷參之肉其足食乎參曰若事之捷
孫叔為無謀矣不捷參之肉將在晉軍可得食乎令尹南轅反
旆迴車南鄉旆軍前大旗旆蒲貝切鄉又作嚮許亮切伍參言於王曰晉之從政者新未
能行令其佐先穀剛愎不仁未肯用命愎很也愎皮逼切很胡墾切其三帥
者專行不獲欲專其所行而不得聽而無上衆誰適從聽彘子趙同趙括則為軍無上令衆

不知所從適丁歷切此行也晉師必敗且君而逃臣若社稷何王病之告
令尹改乘轅而北之次于管以待之晉師在敖鄗之間熒陽京縣東北
有管城敖鄗二山在熒陽縣西北乘繩證切管古緩切管城管叔所封也或作菅古顏切非也敖五刀切鄗苦交切鄭皇
戌使如晉師曰鄭之從楚社稷之故也未有貳心楚師驟勝而
驕其師老矣而不設備子擊之鄭師爲承承繼也戌雖律切使所吏切驟仕救切
楚師必敗彘子曰敗楚服鄭於此在矣必許之欒武子曰武子欒書
彘必邁切楚自克庸以來在文十六年其君無日不討國人而訓之討治也
于民生之不易禍至之無日戒懼之不可以怠于曰也易以豉切在軍
無日不討軍實而申儆之軍實軍器儆敬領切于勝之不可保紂之百克
而卒無後訓之以若敖蚡冒篳路藍縷以啓山林若敖蚡冒皆楚之先君篳
路柴車藍縷敝衣言此一君勤儉以啓土紂直九切蚡扶粉切冒莫報切篳音必藍力甘切縷力主切箴之曰民
生在勤勤則不匱不可謂驕箴誡箴章金切匱其位切先大夫子犯有言曰
師直爲壯曲爲老我則不德而徼怨于楚我曲楚直不可爲老
不德謂以力爭諸侯徼要也要一笑切其君之戎分爲二廣君之親兵廣古曠切下及注皆同
有一卒卒偏之兩十五乘爲一廣司馬法百人爲卒二十五人爲兩車十五乘爲大偏今廣十五乘亦用舊
偏法復以二十五人爲承副卒子忽切注同乘繩證切下同復扶又切下不復逐同右廣初駕數及日中
左則受之以至于昏內官序當其夜內官近官序次也序當其夜一本作序當其次以
待不虞不可謂無備子良鄭之良也師叔楚之崇也師叔潘尫爲楚人所
崇貴師叔入盟子良在楚楚鄭親矣來勸我戰我克則來不克遂
往以我卜也鄭不可從趙括趙同曰率師以來唯敵是求克敵
得屬又何俟必從彘子得屬服鄭知季子曰原屏咎之徒也知季莊子也原
趙同屏趙括徒黨也知音智荀首後爲智氏屏步丁切趙莊子曰欒伯善哉莊子趙朔欒伯武子實
其言必長晉國實猶充也欒書之身行能充此言則當執晉國之政也長丁兩切行下孟切楚少宰
如晉師少宰官名少詩召切注及下同曰寡君少遭閔凶不能文閔憂也聞二先
君之出入此行也二先君楚成王穆王將鄭是訓定豈敢求罪于晉二三
子無淹久淹留也隨季對曰昔平王命我先君文侯曰與鄭夾輔

周室毋廢王命今鄭不率（率遵也〔夾〕古洽切舊古協切〔毋〕音無）寡君使羣臣問諸
鄭豈敢辱候人（候人謂伺候望敵者〔候〕戶豆切〔伺〕音司一音息嗣切）敢拜君命之辱彘子
以爲諂使趙括從而更之曰行人失辭（言誤對勑檢切〔諂〕）寡君使羣臣
遷大國之迹於鄭（遷徙也）曰無辟敵羣臣無所逃命楚子又使求
成于晉晉人許之盟有日矣（有期日）楚許伯御樂伯攝叔爲右以
致晉師（單車挑戰又示不欲崇和以疑晉之羣帥〔單〕音丹〔挑〕徒了切下文同〔帥〕所類切）許伯曰吾聞致
師者御靡旌摩壘而還（靡旌驅疾也摩近也〔摩〕末多乃切〔壘〕力軌切〔近〕附近之近）樂伯曰吾
聞致師者左射以菆（左車左也菆矢之善者〔射〕食亦切下三字同〔菆〕側留切）代御執轡御
下兩馬掉鞅而還（兩飾也掉正也示閒暇〔兩〕或作柄皆力掌切又音亮〔掉〕徒弔切徐乃較切〔鞅〕於丈切〔閒〕音
閑）攝叔曰吾聞致師者右入壘折馘（折馘斷耳〔折〕之設切注同〔馘〕古獲切〔斷〕音短）執
俘而還皆行其所聞而復晉人逐之左右角之（張兩角從旁夾攻之）樂伯
左射馬而右射人角不能進矢一而已麋興於前射麋麗龜（麗著
也龜背之隆高當心者〔麗〕力悲切〔著〕直略切）晉鮑癸當其後使攝叔奉麋獻焉曰以歲
之非時獻禽之未至敢膳諸從者鮑癸止之曰其左善射其右
有辭君子也既免（止不復逐〔從〕才用切下從者同）晉魏錡求公族未得（錡魏犨子欲爲
公族大夫〔錡〕魚綺切〔犨〕尺周切）而怒欲敗晉師請致師弗許請使許之遂往請
戰而還楚潘黨逐之及熒澤見六麋射一麋以顧獻曰子有軍
事獸人無乃不給於鮮敢獻於從者（熒澤在熒陽縣東新殺爲鮮見六得一言其不如楚
〔敗〕必邁切又如字〔使〕所吏切〔熒〕戶扃切〔射〕食亦切〔鮮〕音仙注同）叔黨命去之（叔黨潘尫之子）趙旃求
卿未得（旃趙穿子）且怒於失楚之致師者請挑戰弗許請召盟許之
與魏錡皆命而往郤獻子曰二憾往矣（獻子郤克〔憾〕胡暗切）弗備必敗彘
子曰鄭人勸戰弗敢從也楚人求成弗能好也師無成命多備
何爲士季曰備之善若二子怒楚楚人乘我喪師無日矣（乘猶登也
〔好〕呼報切下同〔喪〕息浪切）不如備之楚之無惡除備而盟何損於好若以惡
來有備不敗且雖諸侯相見軍衛不徹警也（徹去也〔警〕音景〔去〕起呂切）彘子
不可（不肯設備）士季使鞏朔韓穿帥七覆于敖前（帥將也覆爲伏兵七處〔覆〕扶又切注

同馳如字將子匠切處昌慮切故上軍不敗趙嬰齊使其徒先具舟于河故敗
而先濟潘黨既逐魏錡言魏錡見逐而退趙旃夜至於楚軍二人雖俱受命而行
不相隨趙旃在後至席於軍門之外使其徒入之布席坐示無所畏也楚子爲乘廣
三十乘分爲左右右廣雞鳴而駕日中而說說舍也乘繩證切下三十乘十乘并
注同說舒銳切注及下同左則受之日入而說許偃御右廣養由基爲右彭
名御左廣屈蕩爲右楚王更迭載之故各有御右屈居勿切更音庚迭直結切乙卯王乘左
廣以逐趙旃趙旃弃車而走林屈蕩搏之得其甲裳下曰裳搏音博晉
人懼二子之怒楚師也使軘車逆之軘車兵車名軘徒溫切潘黨望其塵
使騁而告曰晉師至矣楚人亦懼王之入晉軍也遂出陳孫叔
曰進之寧我薄人無人薄我詩云元戎十乘以啓先行先人也
元戎戎車在前也詩小雅言王者軍行必有戎車十乘在前開道先人爲備騁勑景切陳直覲切下注皆同先悉薦切注下同
軍志曰先人有奪人之心薄之也奪敵戰心遂疾進師車馳卒奔乘
晉軍桓子不知所爲鼓於軍中曰先濟者有賞中軍下軍爭舟

舟中之指可掬也兩手曰掬卒子忽切下及下注同掬九六切晉師右移上軍未動
言餘軍皆移去唯上軍在經所以書戰言猶有陳工尹齊將右拒卒以逐下軍工尹齊楚大夫
右拒陳名拒音矩本亦作矩下同楚子使唐狡與蔡鳩居告唐惠侯二子楚大夫唐屬楚
之小國義陽安昌縣東南有上唐鄉狡古卯切曰不穀不德而貪以遇大敵不穀之罪
也然楚不克君之羞也敢藉君靈以濟楚師藉猶假借也使潘黨率
游闕四十乘游車補闕者乘繩證切下之乘注易乘皆同從唐侯以爲左拒以從上
軍駒伯曰待諸乎駒伯郤克上軍佐也隨季曰楚師方壯若萃於我吾師
必盡萃集也萃似醉切不如收而去之分謗生民不亦可乎同奔爲分謗不戰爲
生民殿其卒而退不敗以其所將卒爲軍後殿殿多練切注同王見右廣將從之乘
屈蕩戶之曰君以此始亦必以終戶止也中易乘則恐軍人惑自是楚之乘
廣先左以乘左得勝故晉人或以廣隊不能進廣兵車隊直類切楚人惎之脫
扃惎教也扃車上兵闌惎其器切扃古熒切徐公冥切服云扃橫木校輪間一曰車前橫木也西京賦云旗不脫扃薛綜云
扃所以止旗也少進馬還又惎之拔旆投衡乃出還便旋不進旆大旗也拔旗投衡上使不

帆風差輕斂凡劍切本又作帆普霸切差初賣切顧曰吾不如大國之數奔也趙旃以
其良馬二濟其兄與叔父以他馬反遇敵不能去棄車而走林
逢大夫與其二子乘逢氏數所角切乘繩證切謂其二子無顧不欲見趙旃顧曰
趙傁在後傁老稱也傁素口切稱尺證切怒之使下指木曰尸女於是授趙旃
綏以免明日以表尸之表所指木取其尸女音汝皆重獲在木下兄弟累尸而死重直
龍切楚熊負羈囚知罃知莊子以其族反之負羈楚大夫知罃知莊子之子族家兵反
還戰罃於耕切還音環厨武子御武子魏錡廚直誅切下軍之士多從之知莊子下軍大夫故
每射抽矢菆納諸厨子之房抽擢也菆好箭房箭舍射食夜切又食亦切擢直角切厨子
怒曰非子之求而蒲之愛蒲楊柳可以爲箭董澤之蒲可勝既乎董澤澤名
河東聞喜縣東北有董池陂既盡也勝音升陂彼宜切知季曰不以人子吾子其可得乎
吾不可以苟射故也射連尹襄老獲之遂載其尸射公子穀臣
囚之以二者還穀臣楚王子射食亦切下同及昏楚師軍於邲晉之餘師不
能軍不能成營屯宵濟亦終夜有聲言其兵衆將不能用將子匠切丙辰楚重至於

邲重輜重也重直勇切又直用切注上重字同輜側其切重直用切遂次于衡雍潘黨曰君盍
築武軍築軍營以章武功雍於用切盍戶臘切而收晉尸以爲京觀積尸封土其上謂之京觀
觀古亂切注及下京觀同臣聞克敵必示子孫以無忘武功楚子曰非爾所
知也夫文止戈爲武文字武王克商作頌曰載戢干戈載櫜弓矢
戢藏也櫜韜也詩美武王能誅滅暴亂而息兵戢側立切櫜古刀切韜他刀切我求懿德肆于時夏允
王保之肆遂也夏大也言武王既息兵又能求美德故遂大而信王保天下夏戶雅切注同又作武其卒
章曰耆定爾功武頌篇名耆致也言武王誅紂致定其功耆音旨注同其三曰鋪時繹思
我徂惟求定其三三篇鋪布也繹陳也時是也思辭也頌美武王能布政陳教使天下歸往求安定鋪普吳切徐
音敷繹音亦其六曰綏萬邦屢豐年其六六篇綏安也屢數也言武王既安天下數致豐年此三六
之數與今詩頌篇次不同蓋楚樂歌之次第屢力住切下注同數所角切下數致同夫武禁暴戢兵保大
定功安民和衆豐財者也此武七德故使子孫無忘其章著之篇章使子孫不
忘今我使二國暴骨暴矣觀兵以威諸侯兵不戢矣暴而不戢
安能保大猶有晉在焉得定功所違民欲猶多民何安焉無德

而強爭諸侯何以和衆利人之幾幾危也暴骨蒲卜切或作曝焉得於虔切彊其丈切而
安人之亂以爲已榮何以豐財兵動則年荒武有七德我無一焉何
以示子孫其爲先君宮告成事而已祀先君告戰勝武非吾功也古者
明王伐不敬取其鯨鯢而封之以爲大戮於是乎有京觀以懲
淫慝鯨鯢大魚名以喻不義之人吞食小國鯨其京切鯢五兮切懲直升切慝他得切今罪無所晉罪
無所犯也而民皆盡忠以死君命又可以爲京乎祀于河作先君宮
告成事而還傳言楚莊有禮所以遂興是役也鄭石制實入楚師將以分鄭
而立公子魚臣辛未鄭殺僕叔及子服僕叔魚臣也子服石制也君子曰史
佚所謂毋怙亂者謂是類也言恃人之亂以要利佚音逸毋音無怙音戶要一遙切詩曰
亂離瘼矣爰其適歸詩小雅離憂也瘼病也爰於也言禍亂憂病於何所歸乎歎之瘼音莫歸於
怙亂者也夫恃亂則禍歸之夫音扶○鄭伯許男如楚爲十四年晉伐鄭傳○秋晉
師歸桓子請死晉侯欲許之士貞子諫曰不可貞子士渥濁渥於角切城
濮之役晉師三日穀在僖二十八年濮音卜文公猶有憂色左右曰有喜

而憂如有憂而喜乎言憂喜失時公曰得臣猶在憂未歇也歇盡也歇許謁
切困獸猶鬬況國相乎及楚殺子玉子玉得臣相息亮切下能相同公喜而後
可知也喜見於顏色見賢遍切曰莫余毒也已是晉再克而楚再敗也楚
是以再世不競成王至穆王競其敬切今天或者大警晉也警戒也而又殺
林父以重楚勝其無乃久不競乎林父之事君也進思盡忠退
思補過社稷之衛也若之何殺之夫其敗也如日月之食焉何
損於明晉侯使復其位言晉景所以不失霸重直用切○冬楚子伐蕭宋華椒
以蔡人救蕭蕭人囚熊相宜僚及公子丙王曰勿殺吾退蕭人
殺之王怒遂圍蕭蕭潰申公巫臣曰師人多寒王巡三軍拊而
勉之拊撫慰勉之僚了彫切潰戶內切拊芳甫切三軍之士皆如挾纊纊綿也言說以忘寒挾戶
牒切纊音曠說音悅遂傅於蕭還無社與司馬卯言號申叔展還無社蕭大夫司馬
卯申叔展皆楚大夫也無社素識叔展故因卯呼之傅音附還音旋卯馬鮑切號徐戶到切一音戶刀切叔展曰有
麥麴乎曰無有山鞠窮乎曰無麥麴鞠窮所以禦濕欲使無社逃泥水中無社不解故曰無軍

中不敢正言故謬語麴去六切鬩起弓切禦魚呂切下同解音蟹下同河魚腹疾奈何叔展言無禦濕藥將病曰目於眢井而拯之無社意解欲入井故使叔展視虛廢井而求拯己出溺爲拯眢烏九切字林云井無水也一丸切拯拯救之拯注同若爲茅絰哭井則己叔展又教結茅以表井須哭乃應以爲信絰直結切己音紀舊音以應應對之應明日蕭潰申叔視其井則茅絰存焉號而出之號哭也傳言蕭人無守心號戶刀切注同守手又切○晉原穀宋華椒衛孔達曹人同盟于清丘原穀先穀曰恤病討貳於是卿不書不實其言也宋伐陳衛救之不討貳也楚伐宋晉不救不恤病也宋爲盟故伐陳陳貳於楚故爲于僞切衛人救之孔達曰先君有約言焉若大國討我則死之衛成公與陳共公有舊好故孔達欲背盟救陳而以死謝晉爲十四年衛殺孔達傳約於妙切又如字共音恭好呼報切背音佩十四年經及注並同

經十有三年春齊師伐莒○夏楚子伐宋○秋螽無傳爲災故書○冬晉殺其大夫先穀書名以罪討

傳十三年春齊師伐莒莒恃晉而不事齊故也○夏楚子伐宋以其救蕭也救蕭在前年君子曰清丘之盟唯宋可以免焉宋討陳之貳今

宋見伐晉衛不顧盟以恤宋而經同貶宋大夫傳嫌華椒之罪累及其國故曰唯宋可以免累劣僞切○秋赤狄伐晉及清先穀召之也邲戰不得志故召狄欲爲變清一名清原○冬晉人討邲之敗與清之師歸罪於先穀而殺之盡滅其族君子曰惡之來也己則取之其先穀之謂乎盡滅其族謂誅已甚故曰惡之來也○清丘之盟晉以衛之救陳也討焉尋清丘之盟以責衛使人弗去曰罪無所歸將加而師孔達曰苟利社稷請以我說欲自殺以說晉使所吏切說如字又音悅下同罪我之由我則爲政而亢大國之討將以誰任亢禦也謂禦宋討陳也亢苦浪切任音壬我則死之爲明年殺孔達傳

經十有四年春衛殺其大夫孔達書名背盟于大國罪之○夏五月壬申曹伯壽卒無傳文十四年盟新城○晉侯伐鄭○秋九月楚子圍宋○葬曹文公無傳○冬公孫歸父會齊侯于穀

傳十四年春孔達縊而死衛人以說于晉而免以殺告故免于伐縊一賜切遂告于諸侯曰寡君有不令之臣達構我敝邑于大國既伏其

罪矣敢告諸殺大夫亦皆告衛人以爲成勞復室其子以有平國之功故以女妻之(復)
扶又切(妻)七計切使復其位襲父祿位○夏晉侯伐鄭爲邲故也晉敗於邲鄭遂屬楚
(爲)于偽切告於諸侯蒐焉而還蒐簡閱車馬(蒐)所留切(閱)音悅中行桓子之謀也曰
示之以整使謀而來鄭人懼使子張代子良于楚十二年子良質於楚子張
穆公孫(行)戶郎切(質)音致鄭伯如楚謀晉故也鄭以子良爲有禮故召之有讓
國之禮○楚子使申舟聘于齊曰無假道于宋申舟無畏亦使公子馮聘
于晉不假道于鄭申舟以孟諸之役惡宋文十年楚子田孟諸無畏抶宋公僕(馮)皮
冰切(惡)烏路切(抶)勑乙切曰鄭昭宋聾昭明也聾闇也(聾)力工切晉使不害我則必死王
曰殺女我伐之見犀而行犀申舟子以子託王示必死(使)所吏切下使者同(女)音汝(見)賢遍切及
宋宋人止之華元曰過我而不假道鄙我也鄙我亡也以我比其邊鄙
是與亡國同(過)古卧切又古禾切殺其使者必伐我伐我亦亡也亡一也乃殺
之楚子聞之投袂而起投振也袂袖也(袂)面世切(袖)徐又切屨及於窒皇窒皇寢門闕(屨)
九具切(窒)直結切劍及於寢門之外車及於蒲胥之市秋九月楚子圍

宋○冬公孫歸父會齊侯于穀見晏桓子與之言魯樂桓子告
高宣子桓子晏嬰父宣子高固(樂)音洛曰子家其亡乎懷於魯矣子家歸父字懷思也懷
必貪貪必謀人謀人人亦謀己一國謀之何以不亡爲十八年歸父奔齊
傳○孟獻子言於公曰臣聞小國之免於大國也聘而獻物物玉帛皮
幣也於是有庭實旅百主人亦設籩豆百品實於庭以答賓朝而獻功獻其治國若征伐之功於
牧伯於是有容貌采章嘉淑而有加貨容貌威儀容顏也采[illegible]車服文章也嘉淑令辭[illegible]讚
也加貨命宥幣帛也言往往共則來報亦備謀其不免也誅而薦賄則無及也薦進也見責而
往則不足解罪(賄)呼罪切今楚在宋君其圖之公說爲明年歸父會楚子傳(說)音悅
經十有五年春公孫歸父會楚子于宋○夏五月宋人及楚人
平平者總言二國和故不書其人○六月癸卯晉師滅赤狄潞氏以潞子嬰兒
歸潞赤狄之別種潞氏國故稱氏子爵也林父稱師從告(潞)音路(種)章勇切○秦人伐晉無傳○王札
子殺召伯毛伯稱殺者名兩下相殺之辭兩下相殺則殺者有罪王札子王子札也蓋經文倒札字(札)側八切
徐側乙切(召)上照切(倒)丁老切○秋螽無傳(螽)音終○仲孫蔑會齊高固于無婁無傳

無婁杞邑○初稅畝公田之法十取其一今又履其餘畝復十收其一故哀公曰二吾猶不足遂以為常故曰初（初）
始銳切（復）扶又切○冬蝝生蝝子以冬生遇寒而死故不成蝝（蝝）悅全切字林尹絹切劉歆云蚍蜉子也董仲舒
云蝗子○饑風雨不和五穀不豐
傳十五年春公孫歸父會楚子于宋終前年傳宋人使樂嬰齊告急
于晉晉侯欲救之伯宗曰不可伯宗晉大夫古人有言曰雖鞭之長
不及馬腹言非所擊天方授楚未可與爭雖晉之彊能違天乎諺曰
高下在心度時制宜（度）待洛切川澤納汙受汙濁（汙）音烏注同山藪藏疾山之有林藪毒害者
居之（藪）素口切瑾瑜匿瑕匿亦藏也瑾美玉之質亦或居藏瑕穢（瑾）其靳切（瑜）羊朱切（匿）女力切國君含
垢忍垢恥（垢）古口切本或作詬音同天之道也晉侯恥不救宋故伯宗爲設小惡不損大德之喻（爲）于僞切
君其待之待楚衰乃止使解揚如宋使無降楚曰晉師悉起將至
矣鄭人囚而獻諸楚楚子厚賂之使反其言反言晉不救（解）音解（降）戶江切不
許三而許之登諸樓車使呼宋人而告之樓車車上望櫓（櫓）音魯遂致其
君命楚子將殺之使與之言曰爾既許不穀而反之何故非我

無信女則弃之速即爾刑對曰臣聞之君能制命爲義臣能承
命爲信信載義而行之爲利謀不失利以衛社稷民之主也義
無二信欲爲義者不行兩信（女）音汝下注而女同信無二命欲行信者不受二命君之賂臣不
知命也受命以出有死無霣霣廢隊也（霣）于敏切（隊）直類切又可賂乎臣之許
君以成命也成其君命死而成命臣之祿也寡君有信臣己不廢命下臣
獲考考成也死又何求楚子舍之以歸夏五月楚師將去宋在宋積九
月不能服宋故申犀稽首於王之馬前曰毋畏知死而不敢廢王命王
弃言焉王不能荅未服宋而去故曰弃言申叔時僕僕御也曰築室反耕者
宋必聽命從之築室於宋分兵歸田示無去志王從其言宋人懼使華元夜入楚師
登子反之牀起之曰寡君使元以病告兵法因其鄉人而用之必先知其守將左右謁曰敝邑易子而
者守門者舍人之姓名因而利道之華元蓋用此術得以自通（守）手又切（將）子匠切（道）音導
食析骸以爨爨炊也（析）思歷切（骸）戶皆切本又作骨公羊傳作骸何休注云骸骨也（爨）七亂切雖然城
下之盟有以國斃不能從也寧以國斃不從城下盟（斃）婢世切去我三十里唯

命是聽子反懼與之盟而告王退三十里宋及楚平華元爲質盟曰我無爾詐爾無我虞（楚不詐宋宋不備楚盟不書不告質音致）○潞子嬰兒之夫人晉景公之姊也酆舒爲政而殺之又傷潞子之目（酆舒潞相酆芳忠切相息亮切）晉侯將伐之諸大夫皆曰不可酆舒有三儁才（儁絶異也言有才藝勝人者三儁音俊）不如待後之人伯宗曰必伐之狄有五罪儁才雖多何補焉不祀一也耆酒二也弃仲章而奪黎氏地三也（仲章潞賢人也黎氏黎侯國上黨壺關縣有黎亭耆市志切黎禮兮切）虐我伯姬四也傷其君目五也怙其儁才而不以茂德滋益罪也後之人或者將敬奉德義以事神人而申固其命（審其政令）若之何待之不討有罪曰將待後後有辭而討焉毋乃不可乎夫恃才與衆亡之道也商紂由之故滅（由用也）天反時爲災（寒暑易節）地反物爲妖（羣物失性）民反德爲亂亂則妖災生故文反正爲乏（文字）盡在狄矣晉侯從之六月癸卯晉荀林父敗赤狄于曲梁辛亥滅潞（曲梁今廣平曲梁縣也書癸卯從赴）酆舒奔衛衛人

左十六　十二　宋

歸諸晉晉人殺之○王孫蘇與召氏毛氏爭政（三人皆王卿士）使王子捷殺召戴公及毛伯衛（王子捷即王札子）卒立召襄（襄召戴公之子）○秋七月秦桓公伐晉次于輔氏（晉地）壬午晉侯治兵于稷以略狄土（略取也稷晉地河東聞喜縣西有稷山壬午七月二十九日晉時新破狄土地未安權秦師之弱故别遣魏顆距秦而東行定狄地魏音果切）立黎侯而還（狄奪其地故晉復立之還扶又切）及雒魏顆敗秦師于輔氏（晉侯還及雒也雒晉地雒音洛）獲杜回秦之力人也初魏武子有嬖妾無子武子疾命顆曰必嫁是（武子魏犨顆之父嬖必計切）疾病則曰必以爲殉及卒顆嫁之曰疾病則亂吾從其治也及輔氏之役顆見老人結草以亢杜回（亢禦也殉似俊切本或作必以殉治直吏切下治命同亢苦浪切）杜回躓而顛故獲之夜夢之曰余而所嫁婦人之父也（而女也躓陟吏切徐丁四切）爾用先人之治命余是以報（傳舉此以示教）○晉侯賞桓子狄臣千室（千家）亦賞士伯以瓜衍之縣（士伯士貞子○瓜古華切衍以善切）曰吾獲狄土子之功也微子吾喪伯氏矣（伯桓子字邲之敗晉侯將殺林父士伯諫而止喪息浪切）羊舌職說是賞也（職叔向父）

說音悅尚者丈切曰周書所謂庸庸祗祗者謂此物也夫周書康誥庸用也祗敬也
物事也言文王能用可用敬可敬夫音扶士伯庸中行伯言中行伯可用君信之亦庸士伯
此之謂明德矣文王所以造周不是過也故詩曰陳錫載周能
施也錫賜也詩大雅言文王布陳大利以賜天下故能載行周道福流子孫施式豉切率是道也其何
不濟○晉侯使趙同獻狄俘于周不敬劉康公曰不及十年原
叔必有大咎劉康公王季子也原叔趙同也俘芳夫切不敬一本作而傲天奪之魄矣心之精爽
是謂魂魄爲成八年晉殺趙同傳魄普白切○初稅畝非禮也穀出不過藉周法民耕百畝
公田十畝借民力而治之稅不過此以豐財也○冬蝝生饑幸之也蝝未爲災而書之者幸其
冬生不爲物害時歲雖饑猶喜而書之

經十有六年春王正月晉人滅赤狄甲氏及留吁甲氏留吁赤狄別種晉既
滅潞氏今又并盡其餘黨士會稱人從告吁況于切種章勇切并必政切一音如字○夏成周宣榭火傳例
曰人火之也成周洛陽宣榭講武屋別在洛陽者爾雅曰無室曰榭謂屋歇前榭本又作謝音同○秋郯伯姬
來歸郯音談○冬大有年無傳

傳十六年春晉士會帥師滅赤狄甲氏及留吁鐸辰鐸辰不書留吁之屬
鐸待洛切三月獻狄俘獻于王也晉侯請于王戊申以黻冕命士會將中
軍且爲大傅代林父將中軍且加以大傅之官黻冕命卿之服大傅孤卿黻音弗將子匠切大音泰注同於
是晉國之盜逃奔于秦羊舌職曰吾聞之禹稱善人稱舉也不善
人遠此之謂也夫詩曰戰戰兢兢如臨深淵如履薄冰善人在
上也言善人居位則無不戒懼遠于萬切夫音扶兢居矜切本亦作矜善人在上則國無幸民
諺曰民之多幸國之不幸也是無善人之謂也諺音彥○夏成周
宣榭火人火之也凡火人火曰火天火曰災○秋郯伯姬來歸
出也○爲毛召之難故王室復亂毛召難在前年爲于僞切難乃旦切注同復扶又切王
孫蘇奔晉晉人復之毛召之黨欲討蘇氏故出奔冬晉侯使士會平王室定
王享之原襄公相禮原襄公周大夫相佐也相息亮切注同殽烝烝升也升殽於俎殽戶交切烝
之承切武子私問其故享當體薦而殽烝故怪問之武士會謚季其字王聞之召武子曰
季氏而弗聞乎王享有體薦享則半解其體而薦之所以示其儉宴有折俎體解節折

(升之於爼物皆可食所以示慈惠也○折之設切注同)公當享卿當宴王室之禮也(公謂諸侯)武
子歸而講求典禮以脩晉國之法(傳言典禮之廢久)
經十有七年春王正月庚子許男錫我卒(無傳與文同盟○錫星歷切)○丁
未蔡侯申卒(無傳未同盟而赴以名丁未二月四日)○夏葬許昭公(無傳)○葬蔡文
公(無傳)○六月癸卯日有食之(無傳不書朔官失之)○己未公會晉侯衛侯
曹伯邾子同盟于斷道(斷道晉地○斷直管切一音短)○秋公至自會(無傳)○冬
十有一月壬午公弟叔肹卒(傳例曰公母弟○肹許乙切)
傳十七年春晉侯使郤克徵會于齊(徵召也欲為斷道會)齊頃公帷婦人
使觀之郤子登婦人笑於房(跛而登階故笑之○頃音傾跛波可切)獻子怒出而誓
曰所不此報無能涉河(不復渡河而東○復扶又切)獻子先歸使欒京廬待命
于齊曰不得齊事無復命矣(欒京廬郤克之介使得齊之罪乃復命○廬音盧又力於切)郤子
至請伐齊晉侯弗許請以其私屬又弗許(私屬家衆也為成二年戰于鞌傳○鞌音安)
○齊侯使高固晏弱蔡朝南郭偃會(晏弱桓子○朝如字)及斂盂高固逃

歸(聞郤克怒故○斂徐音廉一音力驗切盂音于)夏會于斷道討貳也盟于卷楚(卷楚即斷
道○卷音權一音居免切)辭齊人晉人執晏弱于野王執蔡朝于原執南郭
偃于溫(執三子不書非卿野王縣今屬河內)苗賁皇使見晏桓子(賁皇楚鬬椒之子楚滅鬬氏而
奔晉食邑于苗地晏弱時在野王故因使而見之○賁扶云切使所吏切注及下同)歸言於晉侯曰夫晏
子何罪昔者諸侯事吾先君皆如不逮(言汲汲也○逮音代或大計切汲音急)舉言
羣臣不信諸侯皆有貳志(舉亦皆也)齊君恐不得禮(不見禮待)故不出而
使四子來左右或沮之(沮止也○沮在呂切)曰君不出必執吾使故高子
及斂盂而逃夫三子者曰若絕君好寧歸死焉為是犯難而來
吾君善逆彼(彼齊三人○好呼報切為于偽切難乃旦切)以懷來者吾又執之以信齊
沮吾不既過矣乎過而不改而又久之以成其悔何利之有焉
使反者得辭(反者高固請得不當來之辭)而害來者以懼諸侯將焉用之晉
人緩之逸(緩不拘執使得逃去也傳言晉不能脩禮諸侯所以貳○焉於虔切拘九于切)○秋八月晉
師還范武子將老(老致仕○初受隨故曰隨武子後更受范復為范武子○復扶又切)召文子曰燮

乎吾聞之喜怒以類者鮮文子士會之子燮其名燮素協切鮮息淺切易者實多易遷
怒也詩曰君子如怒亂庶遄沮君子如祉亂庶遄已詩小雅也遄速也沮止也
祉福也遄市專切祉音恥君子之喜怒以已亂也弗已者必益之郤子其或
者欲已亂於齊乎不然余懼其益之也余將老使郤子逞其志
庶有豸乎豸解也欲使郤子從政快志以止亂豸本又作鳩直是切或音居牛切非也解音蟹此訓見方言爾
二三子唯敬二三子晉諸大夫乃請老郤獻子爲政○冬公弟叔肸卒
公母弟也凡大子之母弟公在曰公子不在曰弟以兄爲尊凡稱弟
皆母弟也此策書之通例也庶弟不得稱公弟而母弟或稱公子若嘉好之事則仍舊史之文唯相殺害然後據例
以示義所以篤親親之恩崇友于之好釋例論之備矣好呼報切
經十有八年春晉侯衛世子臧伐齊臧子郎切○公伐杞傳無○夏四
月○秋七月邾人戕鄫子于鄫傳例曰自外曰戕邾大夫就鄫殺鄫子戕在良切徐又在精切
鄫才陵切○甲戌楚子旅卒未同盟而赴以名吳越之葬僭而不典故絕而不書同之夷蠻以懲求名之僞
僭子念切懲直升切止也又作徵如字明也○公孫歸父如晉○冬十月壬戌公薨

于路寢○歸父還自晉至笙遂奔齊大夫還不書春秋之常也今書歸父還奔善其能以
禮退不書族者非常所及今特書略之笙魯竟外故不言出笙音生徐又勑貞切云本又作檉亦作打寨徐後音是依二傳文
竟音境
傳十八年春晉侯衛大子臧伐齊至于陽穀齊侯會晉侯盟于
繒以公子彊爲質于晉晉師還蔡朝南郭偃逃歸晉師既與齊盟守者解緩故
得逃繒才陵切質音致解佳買切○夏公使如楚乞師欲以伐齊公不事齊齊與晉盟故懼
而乞師于楚不書微者行秋邾人戕鄫子于鄫凡自虐其君曰弑自外曰戕
弑戕皆殺也所以別內外之名弑者積微而起所以相測量非一朝一夕之漸戕者卒暴之名弑音試注同弑字從式殺字從
殳他皆放此別彼列切朝如字卒寸忽切○楚莊王卒楚師不出既而用晉師成二年戰
于鞌是楚於是乎有蜀之役在成二年冬蜀魯地泰山博縣西北有蜀亭○公孫歸父
以襄仲之立公也有寵歸父襄仲子欲去三桓以張公室時三桓強公室弱故
欲去之以張大公室去起呂切下注將去同張如字一音涉亮切與公謀而聘于晉欲以晉人
去之冬公薨季文子言於朝曰使我殺適立庶以失大援者仲

也夫適謂子惡齊外甥襄仲殺之而立宣公南通於楚既不能固又不能堅事齊晉故云失大援也〔適〕丁歷切注同〔援〕于眷切〔夫〕音扶臧宣叔怒曰當其時不能治也後之人何罪子欲去之許請去之宣叔文仲子武仲父許其名也時爲司寇主行刑言子自以歸父害己欲去者許請爲子去之〔爲〕于僞切遂逐東門氏襄仲居東門故曰東門氏子家還及笙子家歸父壇帷復命於介除也爲壇而張帷介副也將去使介反命於君〔壇〕音善〔介〕音界既復命袒括髮以麻約髮〔袒〕音但〔括〕古活切即位哭三踊而出依在國喪禮設哭位公薨故遂奔齊書曰歸父還自晉善之也

春秋左氏傳卷第十一